不管 15 歲、35 歲、55 歲或 85 歲，

與這本書相遇，總會看見光，照亮旅程的前方。

2018.11.20

無歧行

二部曲

忽｜巄｜島

林秀兒

天鵬文化

念起，剎那間；
點落，隨意飄；
線行，彎彎曲曲；
沒了對錯，沒了美醜，
直覺進出、延續、轉彎、纏繞，
飄忽著，剎那的幽微。

幽微，
示現微細的萬象，
傳輸模糊的悸動，
流轉紛擾的情緒，
投射無聲的真實。

遊走，穿梭，
多維觀看、思考、探究，
進入內在世界、心靈時空。

推薦序

時空行者
輕快優雅的冒險史詩

黃海
資深作家、評論者

中西合璧，不可思議的太空《西遊記》和科幻意謂的宇宙《奧德塞》，暗示出一場實相追尋之旅。以幽微幻化之姿，呈現優雅迷人的追尋；以美麗歌聲，唱出現代、後現代的宇宙和心靈探險，深具玄妙哲理，空靈之美。

讀者們，如果你打開這本書，想要看看時空戰士叱咤風雲，在太空中揮舞光劍或激光槍、發射雷射砲、穿越蟲洞、有如都市般大的太空船瞬間移動飛行，與太空邪魔激戰，你會大感意外。

原來，《無歧行》三部曲，是如此恬淡與壯麗，如歌如詩，輕快優雅的冒險史詩。

是少年童話，也是成人寓言

《無歧行》三部曲，主角們從啟程、流浪冒險到回家，在虛虛實實的時空中旅行，來來去去，去了又來，從亙古到未知的遠方，探索生命與撥開未知的渾沌。整部書，以幽微幻化之姿，呈現了優雅迷人的追尋之旅；以美麗歌聲唱出現代、後現代的宇宙和心靈探險；是少年童話，也是成人寓言；是太空《西遊記》，融合了太空《奧德塞》的精神。

故事的深層肌理，應是作者半生心靈體悟。這樣一部二十二萬字的大著，林秀兒窮盡八年的時光，用心打磨編結的作品，無疑是作者生命與思想的投射，是她對宇宙真理與生命真實的自我叩問。

文中不時出現的「時空戰士」一詞，毋寧說是「時空旅人」、「時空行者」，沒有悽慘的仇怨，沒有激烈的廝殺砲火，沒有毀滅戰爭或恐怖死亡，更多的是在

奇思幻境中，面對宇宙生命的永恆追尋。雖然是少年小說，卻探索了少年成長之後屬於成人領域的未知。

林秀兒，這一顆燦亮星星，能畫能寫能講，活力十足，致力推廣動態閱讀二十多年，說她多才多藝是小看她了，她把兒童文學當作信仰，也擅長做田野調查，甚且漫遊多國文化環境，基於對文學、藝術的參透，耗盡心血，完成了這部大著。

什麼是「無歧地」、「無歧行」，如果你望文生義，猜謎似的讀下去，到了中途也許就有所開悟了。無歧地，也許無奇不有之地，還有其他的意涵，等著你去揭開詮釋，不難找到合適答案。

縹緲玄妙，嚴肅哲思的探究

布幕拉開時，密令下達，是誰下的密令，密令從何而來，完全不知道，充滿玄祕未知，有如存在主義的思維，旅人們只能執行，任何行動只能依著密令而來。故事起於現代，主要人物是以行、稚盈、阿光三位少男少女，三人成團，不知不覺對應了《西遊記》裡，跟隨三藏取經的三個徒弟。主角之一的名字「以行」，隱喻孫行者，至於師父嘛，就是那密令吧，啊哈，等下觀世音也來了，擔任文化檢測的關世英，不是嗎？

建造時空梭，是為了文化傳承與建設的根本工程。首航目的是「搶救神話」，因為，神話能傳遞宇宙生命的終極意義，如此縹緲虛幻，又義正詞嚴，表達了玄妙哲理之美。神話只是想像、隱喻的故事，也許從來就不是真的，小說的結尾提示了真相，到神話中走一遭，是生活的必需，讓人有深沉的感悟，畢竟神話中保留了人類原始的真實。

情節推進圓融剔透，「無歧行」的命題，意味著不可思議的旅程，不是朝向科幻或科技的驚奇，是導向了浪漫步調卻浸染了嚴肅玄妙的時空遊戲。

原來，作者秀兒曾經一度用心鑽研，深深墜入E.B.懷特的奇幻文學世界，還完成了《E.B.懷特奇幻文學網》的研究論述。我們恍然大悟，懷特的浪漫主義、現代主義、存在主義和後現代主義的創作觀點，可能深深的攫住秀兒的心靈，《無歧行》裡裡外外融合了懷特作品的風味。文中反覆表述「無就是我，我就是無；一無是處，一無非處……」是如此的存在主義和後現代，有如佛家偈語；於是，密令無所不在，但又不知從何而來，也不知是誰下達的，只知道必須前往宇宙冒

險。這樣的設定，不是傳統的寫作思維。

現實與幻想，中西合璧，瑰麗交響樂

懷特的奇幻文學，被歸為現代幻想文學，他的「童話小說化」也成為秀兒的文學實踐。懷特《夏綠蒂的網》以簡單和樸素的聲音敘說故事，秀兒的童話小說的每一句行文，短而淺，意也真，簡單樸實而優雅，深具空靈之美。

珍・葦柏（Jean Webb）評論《夏綠蒂的網》，是現代主義小說，它聯結寫實與幻想兩種文類，也運用浪漫主義、現代主義與存在主義，探索諸多生命議題，我們則在《無歧行》三部曲，看到現實與幻想兩者之間，具體而奔放的交響演奏。

《希臘神話》也提供了秀兒想像魅力，注入她的作品血脈。三部曲給了我們一場玄妙無比，並兼帶有科幻意味的宇宙奧德塞，哲思無限。主角們首航離家，經歷冒險以至返家的壯麗曲折之旅，童話小說文字劈哩嘩啦傾瀉而出，有如一闕又一闕雄渾樂章，輕快筆觸所及的畫面色彩和聲音軌跡，浪漫迴遊，人物穿梭天外天，迷航飄盪，最終找到回家的路，這和荷馬史詩《奧德塞》主人翁的偉大冒險精神是一致的。

美國著名的科幻學者詹姆斯甘恩（James Gunn）在他六大冊的巨著《科幻之路》序文說道「《奧德塞》是對已知世界的一次假想探險，其中也有對未知世界的推測，而未知世界因無人涉足更具魅力。」如果把《奧德塞》的旅行放在太空裡，人物穿上太空裝，便是有如一般科幻小說所呈現的「驚異之情」。《奧德塞》無疑是所有科幻奇幻作品的原形，林秀兒的《無歧行》將現實與幻想融為一體，是這一原形的彰顯。秀兒將之中西合璧，思路中融合了《西遊記》的取經之旅。

詩性童話小說，吟唱量子實相

一如懷特的作品，秀兒同樣以童話小說的格式揮灑，別具一格，加入諸多虛幻元素，出現了宇宙探發局、星系圖、寶藏屋、獨角獸、機器犬、小雞盤、百馬圖、四頁天書、太初蛋，奇妙的科幻道具不一而足；無線腦機，收集旅人的想法資訊，規劃旅程；或者，「有的沒的，沒有有的和沒有沒的，有無的和沒有無的，沒有無的和沒有沒有無的」層層包覆，彼此穿透，堆積如山的寶物以粒子緩慢流動著，旅人也化身成粒子，看著物質死去又活來，看著一切什物波動；類似以上這樣玄奇抽象，俏皮詼諧的敘述，暗示這是一場實相追尋之旅，為了探究靈魂深處的真

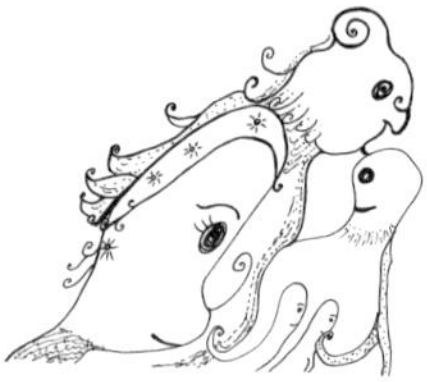

實，有如夢幻般的遊戲。

第二部《忽巄島》出現了飄移的忽巄島、樹精、搥丸遊戲、古墨海、虛擬牆、鐘鼎怪。第三部《異星棧》神話號時空梭正式啟行，經歷綠林坵、時空堡、白光堂、黑魔域，告別舊有世界，質化躍升，在荒涼闃寂的時空裡，晃悠著詩的步子，他們也能潛入意識海的底層，看見一切鏡像，竟是幻化無常，遇見大巨怪，而無意義的虛點，就是實存處。

這樣的敘述，讓人想起量子力學的說法，我們的世界是虛假的，包括你我的存在，都只是波的作用而已。時空梭，以旅人的思想力，作為真正航道的依據，以旅人的願望，作為續航力的調度火花，這一點和現代發現的不明飛行物體的駕駛，是外星人使用意念操控的說法，竟然一致。旅人的起心動念，不論無知無覺，或是了然知覺，都會攜帶念力，影響航程。遇見的妖魔鬼怪和展開的戰役，行吟詩人的唱腔流瀉出歌詞，讓整個三部曲，顯現出童話與詩氣質的小說。

既然「無就是我，我就是無」、「是空非空，無有在其中，虛空中，並不是空空如也，而是存在著所有物質的本來……」且讓我們期待，秀兒在《無歧行》之後，又將繼續出發寫出更壯大的遠行史詩。

推薦序

從巴什拉《夢想的詩學》邂逅《無歧行》三部曲

杜明城
國立台東大學兒童文學研究所 教授

孤獨是童年極可貴的領土，也是夢想的棲息化育之地。童年與暮年，循環返復，融而為一。

閱讀林秀兒的《無歧行》三部曲時，我正好帶研究生討論法國思想家巴什拉(Gaston Bachelard)晚期的著作《夢想的詩學》(*The Poetics of Reverie*)。巴什拉以榮格的學說為經緯，雖是學術著作，但筆法飽含詩意，信手引述文學作品，彷彿為他所弘揚的夢想身體力行，通篇主張陰性特質的阿尼瑪(Anima)乃文學靈魂之所繫。我們戲稱榮格學貫中西，其學說旨在尋求精神之圓融，美妙而迷人，似乎有道盡宇宙與生命奧秘的玄機。但若從科學否證的立場加以考察，說了半天也等於沒說。《夢想的詩學》文筆頗為隨興，似乎不準備以嚴謹的邏輯說服讀者，對榮格如此深信不疑，實在令人困惑。但話說回來，巴什拉是二十世紀舉足輕重的科學哲學家，他從現象學的觀點切入，認為文學無非是意向 (intentionality) 的作用，創作無疑是主體種種無意識力量匯集的成果。一般認為，原型心理學帶有神祕色彩，但似乎又與當代科幻小說密不可分的量子物理學和相對論頗有共通之處，只是方法不同，詞彙有別罷了。

由於順序上的誤讀，我先瀏覽了《無岐行》三部曲的第二部《忽巄島》。我隨著意識牽引著讀，只覺得似懂非懂，人物與情節都有點模糊。於是我翻閱到作者本人的自述〈從生命迷宮到文學荒原〉，訴說著她從童年到年過不惑的生命歷程，彷彿遊走在現實與夢想之間，虛實相互為用。我突然有心領神會之感，《無岐地》固然採取科幻小說的形式，卻是不折不扣林秀兒個人生命史的投射。《夢想的詩學》獨闢一章探討童年的夢想，而《無岐行》三部曲的情節、對話與想像

正好呼應了童年與夢想的交互關係。《夢想的詩學》似乎巧妙地提供了我解讀林秀兒的符碼，我不禁想到榮格所謂的共時性（synchronicity），一種非因果關係的巧合。

佛洛依德的精神分析（psychoanalysis）與榮格的分析心理學（analytical psychology）都把童年的心理現象做為探視人類心靈的主軸，但從巴什拉的觀點，兩者的取向卻大異其趣。他認為精神分析讓所有了不起的詩人都降格為凡人，而榮格的阿尼瑪卻可能讓不起眼的作者閃爍生輝！前者看到的童年都充滿著缺憾，而後者是童年為個體化歷程的根苗。巴什拉是這麼說的：

「夢想中的人穿過了人所有的年紀，從童年至老年，都沒有衰老。這就是為什麼在生命的暮年，當人們努力使童年的夢想再現時，會感到夢想的重迭。」(127)

「孩子的孤獨比成年人的孤獨更隱秘。經常是到了生命的暮年，我們才發現那深深隱藏著我們孩提時代的孤獨，我們少年時代的孤獨。在生命最後的1/4時期，人們將老年的孤獨反射到被遺忘的童年孤獨上，才理解到生活最初1/4時期的孤獨。夢想的孩子是孤單的，極端孤單的。他生活在他夢想的世界中，他的孤獨不像成年人的孤獨那樣具有社會性，那樣與社會形成抗衡。孩子有一種對孤獨的自然夢想，這種夢想不能與賭氣孩子的夢想混為一談。在他感到幸福的孤獨中，愛夢想的孩子進入宇宙性的夢想，即是我們與世界合為一體的夢想。」(135)

「孩子的想像翱翔的天地並不是這化石般的神話，不是這神話般的化石，而是他本身的神話。孩子是在自身的夢想中發現神話，發現他不向任何人講的神話。那時，神話即生活本身。」(149)

我引述了以上三段文字來呼應林秀兒的自述，也從巴什拉對於孤獨童年的思維來欣賞《無歧行》三部曲。感同身受作者搭上名為「神話號」的時空梭，遨遊在各種靈魂歷險的超時空。童年時期家庭生活的點點滴滴，在首部曲的人物對話

裡找到記憶的歸宿。孤獨是童年極可貴的領土，也是夢想的棲息化育之地。童年與暮年，循環返復，融而為一。線性的時間先後只是宇宙的一種可能，於是，我發現自己逆讀《無歧行》三部曲竟也有另一番恍然的趣味。

我沒有從科幻小說的角度來欣賞《無歧行》三部曲，事實上，這部作品同時也蘊含了豐富的童話與奇幻小說的要素。就我的閱讀所及，林秀兒的作品是一項頗有野心的嘗試，也是很具有知性趣味的創新。我毋寧相信這是作者本人生命史的文學偽裝，字裡行間處處閃爍著她對於時間與生命的驚嘆、了悟與真誠！

引用資料：
加斯東·巴什拉著，劉自強譯《夢想的詩學》北京：三聯書局，1996.6

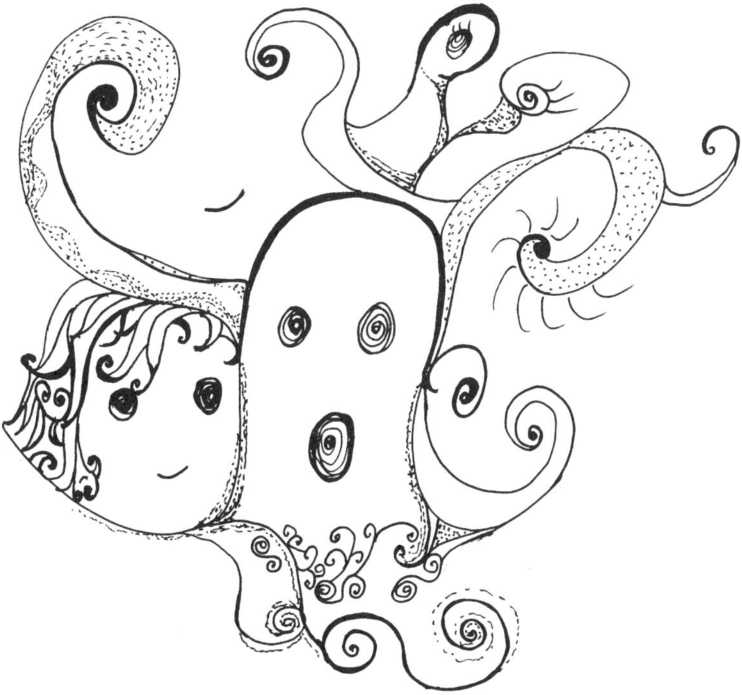

推薦序

回到最初的地方

李明珊
兒童文學家／教師

「無論遠到多遠的至遠處，還是在至近處，就在生命的本來，生命的核心啊！」

林秀兒在她的最新力作《無歧行》三部曲中，藉由一場場迷離奇幻的時空旅行，反覆地叩問生命的本質。

作者發揮了無邊無際的想像力，佐以輕盈曼妙的文筆，創造了一個個靈動的異域，這異域可以說是陌生的他鄉，也可以說是熟悉的故鄉，「它」存在於每個人的心底深處，也是每個人的所來之處。

作者擅長刻畫人的心理轉折及其幽微的變化，與書中所透露的哲學性思考，相映成趣。閱讀此書，恍若進入一條悠遠而深沈的長河，在點點波光中，照見自己。

首部曲《無歧地》，故事一開始，書中三位充滿熱情的少年，在網路上無意發現時空旅行的訊息，搶票成功後，懞懞懂懂地進入另一個時空。作者若有似無的營造出一個個神妙的場景，如稚盈在噗突抱竹圖書館前方，目睹一大群來自四面八方的鳥兒，在一位銀髮老嫗的環視之中飛翔，如百鳥朝鳳般翩翩起舞，這似乎暗示著即將展開的奇幻旅程。

而在「八面鏡廳」裡，以行在鏡子與鏡子之間閃躲奔竄，意謂著人在人際、社會與世界的鏡像中迷亂而失去自我。而後在一連串「不得其門而入」的誤打誤撞之後，旅人們隨著聲波，跨越語言文字的障礙，來到了狀似插播在原始綠林裡的「宇宙探發局」，而阿光卻在自卑心理及固有成見的作祟下，抗拒起自己像「東西」一般的轉交到「引路人」的手裡。不論如何，他們終究一起進入了層疊波動的「寶藏屋」，初識了宇宙之書。未被開啟的奇異天書，是一顆烏金打造的「太初蛋」，

敘說著整個世間、宇宙的生成化滅的實相。

正式踏上旅程之前，時空旅人接受「文化潛血脈」的施測，每人選擇了屬於自己的時空旅程，也發現了他們所背負的使命與任務，那就是「搶救神話」。因為神話顯現了生命的本質，誠如作者所言：「每一趟時空旅行，會是自我追尋的歷程。真正的旅程，就能還原神話，走向回歸的大道。」

二部曲《忽巄島》，時空旅人們在旅程中遇到的種種事物，都有其象徵意涵與隱喻，也引發了旅人們內心的自我辯證。例如：「樹精」象徵友誼的高貴與情感的牽絆，而旅人終能發出善意，與之進退踩出優雅美麗的步伐。「古墨海」隱喻文字裡的意識交流，在墨黑的浪潮中可以創造出新的時光；「蛇牆」暗指物質世界的絢麗，但一不留意就會被其迷幻的表象迷惑，慾望如厚牆般阻撓心靈的去路；「時間鐘」指涉人的心理時間，如蝸牛般慢步或如流沙般快活，人們時常被困在時間裡，殊不知時間隙中剎那即永恆的真諦。「銅鼎怪」鏗鏘有力，看似銅牆鐵壁的阻力，卻是最忠誠的護法，考驗旅人是否真有「一言九鼎」的誓願與決心。

三部曲《異星棧》，旅人正式蛻變為時空戰士，因為他們面臨一場又一場的戰役，他們的旅程進入了更深層的異次元世界。這戰役源自於自我內在的衝突，也同時是對現實世界的挑戰。如榮格所言：「領悟陰影，是人類的責任與義務。」書中的三位主人翁，若想要真正理解自我內在的陰影，不能光用腦子，還必須付諸行動，親身體驗。

於是他們搭上了時空梭，到了不同的國度。在「烏里哲索星」中，以行等人面臨失衡邊緣，體驗到自己是億萬光年中演化的一顆恆星，看見自己極微細的粒子及極巨大的能量。在「罵爾星」中，赤煉火光延燒大海，阿光奮不顧身試圖救出火海裡的父母，緊接著與自己內心棧戀權杖的大巨怪搏鬥。在「墟冥思星」中，稚盈親炙女媧造人的溫暖境遇，也揭開過往母親離去的那一段悲傷記憶，向自己頑固的意識宣戰，並與異性夥伴們經歷了青春期的騷動與不安，走向回家的路。誠如作者所言：「越是黑暗，越需要勇敢地搗碎平日生活中那套思維模式和價值判斷系統，拆卸身上的行囊，為自己掙得一方新天地。」

此套書蘊含大量豐富的訊息，字字珠璣，饒富真理，意旨閎深，細細咀嚼，方能體會其中三昧。書中指出「念頭」的重要性，人們因為念頭流浪生死，忘記自己的本來面目，而將自己困在物質世界中。而意識的波動，能創造出一個又一

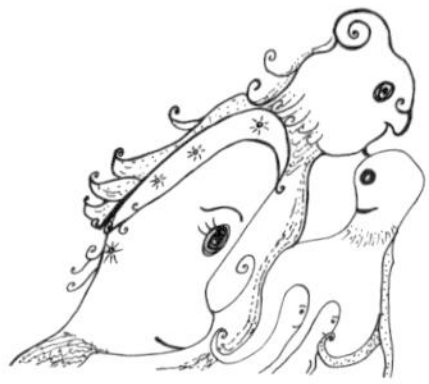

個不同的時空維度，也能造化出宇宙萬物。三位時空戰士，因為擁有「年輕心靈」，才能進入另一個時空，在旅程中提取一個又一個奇異微小質素，使自己有了更深的領悟。

密令無所不在，只是旅人需要保持敏銳度，才能接受召喚，並加以感知與觀照。欲展開「無歧行」，令人聯想到老子道德經中所云：「致虛極，守靜篤。萬物並作，無以觀復。夫物芸芸，各復歸其根，歸根曰靜，是謂復命。」吾人需要歷經一番「靜、定、安、慮、得」的自我修持，方能回到那最初的地方。

貫穿整本書的主旨乃是：「一場探索宇宙生命的實相之旅」，而我認為作者本身仿若時空戰士，她勇於闖蕩，展開一次又一次自我的心靈冒險，讓身為讀者的時空旅人，循著她的足跡，踏上她為我們悉心鋪陳、一條多彩的西天取經之路。沿路疊影複沓，柳暗花明，但終能一步一步接近心靈的原鄉。

日本心理學家河合隼雄在《閱讀孩子的書》中指出：「當我們和靈魂世界發生聯繫時，那種奇妙的命運，那些發生的事件都是一種必然。」與同學秀兒結識，在書中認識到更完整的她，並為此書寫序……種種機緣湊巧，像是讓我們成為這偶然中的必然，在宇宙洪荒中的某條通道相遇。

閱讀此套書，除了感受到作者文字獨特的美感，更能體會到作者的匠心獨運及其對生命的終極關懷。我認為這套書跳脫了一般小說的書寫形式，像是一套揉合了神話與寓言性質的哲學小說，需要放慢腳步，細細品讀。所謂「你的洞見有多深，你的解脫就有多少」，生存在這個熙熙攘攘、紛紛擾擾的世界，我們需珍惜光明美好的一面，同情陰影的存在，不再恐懼，將一份理解化為內在的力量，繼續向前走去。

這是一套引人深思與探究的奇書，誠摯推薦！

作者序

從生命迷宮到文學荒原

故事，遠從亙古綿延傳來，還向著未知遠方傳去。
故事人說故事，說真說假通天地，故事真章達宇宙，
就這樣，邁上生命的終極旅程，契入故事渾沌大力量。

最初的質問

小時候，總是愛跳格子、扮家家酒、躲貓貓等遊戲；大稻埕，就是童年的歡樂天堂。

那時，活蹦亂跳，貪玩的心，總是不解家中的小黑狗，為什麼老是趴在冬日暖陽下，一動也不動？大白鷺，為什麼總在池塘邊，站成一副雕像樣，一動也不動？童稚的心，就是好奇，就是不明白，而有了最初的質問。

可是，在那個有耳無嘴的時空裡，習慣性地，把不明白的事情，留在小腦袋瓜裡；順從地，選擇做一個聽話的小女孩，好博得大人的稱讚與肯認。

國小六年級，是童年的尾聲。有一天，看著站在竹籬邊餵雞群的媽媽，好奇地想著，媽媽的身體，怎麼會是圓滾滾的？印象中，似乎直到那時，才第一次看到媽媽，變得那麼胖。

矇矇懂懂的童年，就是好奇，就是不明白，而有了對生命的質問。

可是，在那有耳無嘴的歲月裡，習慣性地，把不明白，留在小腦袋瓜裡，暗暗翻攪。

因此，早早就知道，話語之前，是想，還愛胡思亂想地，陷入自己的幻想國度裡。

有一天，林老師跟我說：「下了課，直接回家，別出門玩。你啊，多了一個弟弟囉！」

「多了一個弟弟？怎麼會呢？」矇昧無知的自己，無力回應，突如其來的變

化。待要轉身離去時，又聽到林老師喃喃自語：「幹嘛多生一個？」

剎時，真不知為哪樁，紅了臉，沒來由的，羞愧不已！然後，不知所措地，興起一陣惱怒。

下課時，進了兩棵大榕樹拱成的綠庭門，踏上大稻埕，就聽到娃娃的哭聲，於是，飛奔入屋。

迎面而來，竟是堆得像小山般的尿布，剎時，止住飛奔的短腿，措手不及地，紅了眼，淚珠在眼眶裡打轉。

這一幕，爸爸瞧在眼裡，什麼話也沒說。隔天，家裡就多了一臺未曾見過的洗衣機。

有一天，媽媽遞給我小弟的奶瓶說：「給妳，把它喝掉。」接過奶瓶，聽話的打開瓶嘴，直往嘴巴送，剎時，未曾聞過的奶臭味，驚得我緊閉口鼻，偷偷地，握著奶瓶，走向屋後的龍眼樹，看著樹下的餿水桶，自我衝突不已！

「小弟什麼都沒吃，只喝奶水，就能長大。這奶水，是生命之泉。」

「可是，這——好恐怖喔！」

「隨便糟蹋食物，會被雷公劈死。」

「可是，我就是怕啊！」

不得不，我又舉起奶瓶，緊捏鼻子，硬逼自己，就要灌進從未喝過的嬰兒奶水；突然，一陣噁心，作嘔起來，只好作罷。然後，雙手捧著奶瓶，對著龍眼樹和餿水桶，恭恭敬敬地，行了三鞠躬，邊拜邊唸唸有詞：「雷公伯，對不起，我不是故意的，我實在不敢喝，喝不下去啊！雷公伯，請不要劈我，我會乖乖啦！」然後，慎重的把每一滴奶水，倒進餿水桶，才安了心。

無語的省思

國小畢業時，所有的玩伴，不管大小，都會騎單車，都能在大稻埕轉圈子，在顛仆泥地上追風。而自己只能站在大稻埕邊，乾瞪眼。新生訓練前一天的午後，爸爸牽回一輛嶄新的寶藍色腳踏車，在大稻埕上跟我說：「這輛腳踏車給妳。」

我盯著腳踏車，什麼話也沒說。

「走路去明倫，要一個鐘頭。妳自己決定，要走路上學，還是騎車上學。」

爸爸說完話，就把腳踏車和我，晾在大稻埕上，自行離去了。

結果，半個鐘頭後，我自己騎上腳踏車，追風去了。

那一天，爸爸送給我的寶貝，不只是嶄新的腳踏車，還有絕對的信任。爸爸的信任，給了我信心，給了我自主權，克服了多想的害怕，滋生了一種我能我行的信念根苗。

這些童稚矇昧的記憶，自導自演的戲碼，一直殘留在腦海裡飄盪，三不五時蹦跳著，讓我忘不了。日復一日，這些個矇昧無知的記憶與自我質問，累積出意識能量，添了企圖心，成了一種內在需求，直想搞清楚，我是誰？

這樣的內在需求，在第一次接觸到英文版的《希臘神話》時，隔閡的語言，陌生的文化，根本就看不懂那些糾葛的權力慾望、龐雜混亂的眾神族譜和玄思異想的浪漫故事，卻又盲目地，受到某種不明的召喚，而騷動不已！

下課時，總是緊黏老教授，追問著不知是什麼的東西，陷溺在神話迷宮裡，不可自拔。學期要結束時，教授語重心長的提醒我：「別太著迷，這樣子，會餓肚子。」

師長的話，是關愛與護持，卻嚇壞了我，斷然地，把神話拋得遠遠的，不再追著虛無飄渺的幻想夢境。對於我來說，這事關係著基本需求，關係著獨立，關係著能不能存活的事實。於是，心念一轉，就煩忙於現實生活的追求，不經意間，也深埋了探問真相的小種籽。

謎團的糾結

想當年，村姑如我，對校園世界，仍是青澀迷茫；對未來人生，更是徬徨無知。面對週遭事物，腦袋瓜卻又總是迅速波動特強的電波訊息，無知無覺地，多想了些什麼，而有了不必要的苦楚；莫名其妙地，想多了些什麼，而有了不必要的害羞、不安、逃避、恐懼，老是陷入自我折騰，還自以為是。

大學畢業後，結了婚，為人妻，為人媳，為人母，忘了大海，忘了藍天，忘了自己，成了拴繫纜繩的一葉扁舟，搖晃在定錨的港灣裡。

港灣裡的一葉扁舟，躲開了外頭的颶風巨浪，卻躲不了閉塞狹隘時空裡的內在風暴。於是，芝麻綠豆，雞毛蒜皮，都有可能在定錨的港灣裡，翻攪出沒必要的浪濤，挑戰著跨出原生家庭和校園保護傘的自己。

還好，執拗於愛，挺過了風暴；因著愛，浸淫於親子共讀中，乘著故事文學的羽翼，平衡了柴米油鹽醬醋茶的現實，告別了像《糖果屋》中，潛伏的飢餓恐慌感，翱翔於物質世界與文學時空。

旅歐期間，一家人時常漫遊於多元文化國境，走馬看花地，出出入入不少博物

館。看到畢卡索的原稿畫，曾直白的對兒子說：「畢卡索的畫，很像你的畫耶！」

「醜死了。」六歲的兒子，氣的不得了。

我卻困惑著，這麼有名氣的大家，怎麼會有這樣的塗鴉？

在佛羅倫斯，李奧納多‧達文西博物館，驚嘆著：「他怎麼可能畫出《蒙娜麗莎》、《最後的晚餐》等曠世巨作，卻又是科學家、工程學家、幾何學家、物理學家？他怎能擁有如此超乎想像的獨特創意與博學呢？」那時，真不知是崇拜，還是其他原因，買了一件絕對不會穿的T恤，留存在衣櫃裡二十多年，直到家中遭白蟻之害，才不得不丟棄。但是，維特魯威人（Vitruvian Man）的圖案，卻圖騰般烙印在我的腦袋裡。

謎團的拆解

一九九四年回國後，寫寫故事、兒歌，親炙兒童哲學，經營非營利公益社團，成為故事人，走上閱讀推廣路。有一天，老友突然跟我說：「妳的說話聲，沒有了童音耶！」

「啊，都三十七歲了。」剎時，一陣驚心，撞見未知的自己，暗自吶喊著：「爸爸呀，你在秀兒的名字裡，藏了什麼樣的生命密碼啊！」

時光匆匆，一場場的生活實驗，就從懵懵懂懂，跌跌撞撞中，通過了文學、閱讀研究與服務學習的生活場子，點點滴滴，修正了自我看待萬事萬物的觀點與態度，擺盪在我是誰？誰是我？的無形網絡裡，探看省思自己。不知不覺中，揮灑了最熱情洋溢、勇猛衝撞的壯年歲月，玩閱讀，賞文學；走過校園，走過社區，走過偏鄉，走入世界，也走入內在思維，走在崎嶇心路上；日積月累的經驗堆疊，行動研究，建構出《動態閱讀》，走出故事人動態閱讀路。

兒童文學，成了我的信仰。

然而，旅程中光覆著光，影藏著影，一遍遍高聲吟唱，動態閱讀的副歌，認真看待不起眼、被忽視的事物，行走在兒童文學圈外的荒原裡，一遍遍俯首叩問，生命的主旋律。

為什麼林布蘭老愛畫著一張又一張的自畫像？

為什麼畢卡索每一個階段的藝術表現，會如此的不一樣？

為什麼哲學大師維根斯坦〈Ludwig Josef Johann Wittgenstein〉、維高斯基〈Lev Semenovich Vygotsky〉、海德格〈Martin Heidegger〉等，會在自我比對、自我批

判中，再構出更高超的論述？

二〇〇四～六年間，經年辦理新住民親子共讀，並且，以動態閱讀兒童文學，進行新住民華語文學習歷程研究。當時，每週兩次，不僅置身於多元文化的生活場，感同身受著異鄉人的疏離感與新鮮感，更是深陷語言的戰場。一場場的教學實踐，不斷挑戰著當下的思維，感受，情緒，直覺和語言的跨界操弄與傳達；三不五時，就要動用肢體、表情、角色扮演、遊戲等動態閱讀策略，跨文化的經營出動人的教學情境，遊走教室，才能與來自異國的姊妹們，有了真實溝通與真誠互動。

沒錯！

我們唯有真誠地，手牽手，心連心，才能有貼切真實的溝通，才能創造出意想不到的語文生命力。一場場的教學實踐，就在多了一點點什麼，少了一點點什麼中，理解了語言的虛實，激射出文學力，搓揉出生命交流的互動光輝，看見了更寬廣豐富的她與我。

多元文化教室，成了生命成長的超級殿堂。

在兒童文學研究所時，鑽研 E.B. 懷特童話。探究《夏綠蒂的網》（*Charlotte's Web*）時，撞見了自我重複湧現的深層恐懼，以心印證了小豬韋伯（Wilbur）的死亡陰影；同時，就在論述《E.B. 懷特奇幻文學網》的過程中，消解了自我叩問的生命主旋律，證悟了懷特生命行為的三部曲，洞悉了童年時，自己對小黑狗和白鷺鷥所提的最初質問，原來就是自我靈魂深處的渴望啊！

研究論述的完成，不僅強烈意識到懷特奇幻文學中，那些抽象形上的思維，傳達著關於「存在」的知識，也衷心肯認了「無名」卻「恆存」的天道與奧秘的存在，不知不覺中，內在就有了柔軟的堅持，樂於走出屬於自己的思維路，與社會互動，活出真正的自己。

幸運地，兒童文學，指引我回家之路；而動態閱讀，是實踐自我生命之道。

感謝文學，感謝 E.B. 懷特，感謝師長，感謝動態閱讀。

謎團的終結

走到這兒，已半百啦！

然而，我又不得不承認，文學研究論述的完成，只是世俗學位的獲得，只是思想的強大作用力，意識飽暖的生命狀態罷了！

因為，內在的深層恐懼，仍隱—隱—作—祟。甚至，因為撞見了死亡陰影；

它，因而進級幻化。在生活中，一再地出出沒沒，挑戰著我的能耐，是否真正與它相安無事，淡然共存。

因為，要不是完成了研究論述後，即刻地，投注在明確目標中，全然地，在短短兩個多月裡，深潛多元文化研究，田野調查，蒐集資料，埋頭創作十本繪本，完成了不可能的任務；我，是不可能活出嶄新的超越性生命狀態。

二〇〇八年的繪本創作，對我來說，是一趟極不可思議的創作旅程；從無到有，在極短的時間裡，沒日沒夜，使命必達的自我要求心緒，把自己的思維意識，激撞到天旋地轉的巔峰，不知不覺地，也把自己逼向世界的邊緣，遭遇了生命的終極試煉，靈魂的遊戲。

這話，說來確實有點難。

然而，事實就是這樣。

那一天，交出第十本文字創作稿《回外婆家》，歸還第一手田調資料，卸下緊綳心緒，無比輕鬆自在。可萬萬沒想到，卻經驗到由自己的深層恐懼，所發動創造出來，令我極度恐懼的物質能量，著著實實地，把自己逼入思維意識體的臨界點，經驗了天崩地裂的末日，告別了現實俱存的親友，孑然一身。

在那個奇點，多重意識作用下，我，跳脫時空，從更高的視野，無比清晰地，端看著世界末日的戲碼、無聲無動的肉體；終於，在此終極試煉中，放下了至深的死亡恐懼，體悟了本來就是的生命狀態，明白了物質世界是虛幻，是暫存；意識本體，才是永恆的真實存有。

於是，我死去活來般，踏入重生的旅程。

從此以後，我慢了下來，不再夸父追日般，汲汲營營；不再薛佛西斯般，來來回回，推著宿命巨石，享受平實生活。通透理解了「動態閱讀」的核心概念，獲得三字心法，以更全觀的視野，思考生活現實，看待世界，叩問人生，探究生命。

然後，讓平日閱讀、創作歷程和生活點滴，回饋到當下的自我生命裏；回饋到陪伴老母的臨終歷程裡；回饋到我剛入家門，向婆婆請安時，她情緒異常激動，近乎歇斯底里，緊握著我的手腕說：「我就要走了。」時，還能冷靜地回答：「妳準備好了嗎？」……在那極端意外，料想不到的當下，還能跳脫親情的羈絆，不害怕死亡，不逃避恐懼的囂張，而有了終極關懷的真實對話，讓老爸老媽，在老淚縱橫中，有了深情的擁抱和真實的訣別，讓母子有了一甲子以來，不曾有過的真正擁抱，愛的傳達。然後，一年多以後，婆婆以九十二高齡，壽終正寢，安然離世。

文學的生命雕塑

十多年來持續投入多元文化研究，吟唱生命如流水的閱讀主旋律，書寫人生是一場夢的創作本質。同時，在這段旅程中，發現了一股綿綿延延，無名卻恆存的召喚。

這股召喚，不論以國際文教參訪的名義，遠到印度、芬蘭、荷蘭、美國、史瓦帝尼等國進行交流，或者，單純的，到越南、泰國、馬來西亞、日本或非洲旅遊時，都曾經以著某種莫名的水土不服、文化衝擊，持續折騰著旅行中的肉身，打磨著跨越時空中的靈魂，或以著敏感體質，平凡中的神奇事，提醒著我，還有一件重要的事，有待完成。

這件事，打從二〇一〇年初，創作《青甲客奇幻之旅》時，清晰地，有了沒能說清楚、講明白的牽掛，有了一種已經啟程，卻是回家路漫漫的直覺。然而，接下來，會是一個什麼樣的創作旅程呢？

故事點子，像一顆顆小發光體，隨意蹦跳，卻撐不起故事大格局。

二〇一一年參訪美國時，在好萊塢造夢世界，《侏儸紀公園》製片場，大暴龍的肚腹時空中，旅人乘坐時空梭的最初概念，飆逝而過，才有了故事主軸的架構發展，進而創作了噗突抱竹鎮的空靈想像世界，並且，在多元文化比較中，編織了科技新知與人文傳統的對話，在穿梭現實生活與虛擬世界中，不斷逼視生活社會現象，詰問生命真實，辯證宇宙真相，去呈現真實社會中，更具存在實質的「實有」，傳達生命的真實。

投入長篇小說的創作，從來就不是一件容易的事。然而，毫不間斷地，穿梭在閱讀工作坊、多元文化教育講座、社團服務，兼顧四代間多重家庭角色的扮演下，仍堅持不懈地，衷於初心，捍衛自我願力，埋頭書寫；忘了對不對、該不該、好不好、市場機制等物質世界的橫橫豎豎，框框架架，單純地，伏案書寫，好讓自己的身心靈，屹立不搖地，堅持在實踐自我思想的道路上，對我來說，是一件非常喜樂的事。

終於，在二〇一三年七月十八日，清晨夢醒未醒中，一個字一個字，從量子訊息場，迅速蹦跳入我的思維意識體，恩賜於我。

無就是我，我就是無；

一無是處，一無非處；

無一是處，無一非處，
是無一處，處是一無，
處就是我，我就是無。

於是，故事就從當代青少年的生活場，著重於經驗性的知識與智慧，探向人類的無限潛能，完整了浩瀚的《無歧地》創意，建構出時空戰士，闖蕩異時空的高度幻想性故事，書寫出原先料想不到的趣味情節，還解構了二十多年來，自己全心投注的閱讀與語言，行走文學荒原。

感謝故事，感謝多元文化，感謝家人，感謝同行夥伴和自己。

荒原的生命禮物

一切，從虛空開始，無聲無語無形無影……
然後，意識波動，滴滴答答……
滴滴答答，連續不斷……
有了編織故事的意念。
八年來，編織一個故事，只為了解構故事；解構故事，只為了再說，再寫，再結構一個故事，直到故事以嶄新的超越性身影，活了起來，說出了一眨眼的生活哲學，叩問真實。

終於，在剎那剎那的轉瞬間，關於你，我，親情，友誼，夢想，記憶，愛，死亡，語言，文化，時間，神話，宇宙虛無……一一來到生活中，雕塑著剎那間的生命故事，成了《無歧地》、《忽巃島》、《異星棧》三部曲；終於，來自荒原的《無歧行》誕生於世，成為一份珍貴的生命禮物，呈獻給無限潛能的你，也呈獻給衷於初心的自己。

一路走來，感謝創作坊的年輕心靈，有了「看見小王子」的肯定；熱血的衝撞，賜福我勇氣，啟動編輯出版的冒險旅程。感謝黃海老師、杜明城教授和李明珊老師的行文推薦，彰顯小說內容的鏗鏘質地。感謝享譽國際、臺灣書畫女靈郭香玲大師，揮毫書名，贈墨寶，讓封面文采清輝映。感謝動態閱讀編輯群、惠雅、宗翰、夢想基金會和家人的有力支持，讓《無歧行》匯集了諸多精純美好的動能。還有，人藝的專業設計團隊，讓三部曲添增了非凡樣貌，溫潤了禮物質地。

感謝一切，感謝未來。

林秀兒 敬致二〇一七．十二．二十一

目錄 Contents

01

飄移的忽巃島

話說回來，旅人怎能不興奮呢？在有限的記憶裡，這可是旅人打從睜開肉眼，從來就未曾有過的體驗，未曾有過的精細看見啊！

藍天上，白雲悠悠閒飄，陽光靜謐的投射七彩晨光，醞釀著慶賀歡騰的氛圍。時空梭的接泊快艇，早就候在藍色汪洋邊，等著。

宇宙探發局專員，帶著熱切期待的旅人，來到海岸邊。

這時，一陣晨風，輕拂而過。

「你看——」

「哇啊，一顆顆金星，穿梭在洋流間，跳躍在浪波上耶！」

剎那間，藍色汪洋，就成了無垠的金色海洋啦！

旅人興奮地跳上快艇，準備航向操作課程中，首次聽到的忽巄島。

快艇疾疾地，駛進了無垠無際的汪洋中，穿梭在大大小小的金星中，卻又像似太空飛船，航行在宇宙的銀河星際間。旅人的心中，不禁興起些微的波濤，洶湧著；是誰都不會注意到的那種妙不可言的波濤洶湧。

沒多久，快艇飛快的彈跳在某種潮流上，乘坐起來像是顛簸在硬石頭路上，害人屁股直發疼。

「痛耶！」阿光手撫著多肉的屁股說。

「嗯！」

「要不是眼睛看得到這一大片汪洋水，還真以為在滑草。」

「更像似在磨石。」

還好，就在旅人苦中做樂，自我消磨中，快艇就奔馳到陌生的深海域了。這時，超高量能，從深邃的地心，洶湧而出，以著渦輪的行進路線，推送著快艇，乘風破浪，連綿飛濺出銀白浪花，直衝藍色天穹。

稚盈回頭一看，驚呼而出：「看啊，多麼壯美！」

「噢嗚，厲害。」

「看起來，像似天使揮動的大翅膀。」

浪花，跟在快艇後面，連綿飛濺，層層疊疊，集體翻飛，像似天使的巨大翅膀，不斷地揮動著。

旅人忘情地，看著天使的巨大翅膀，向著忽巄島挺進，沿途漫覆了石窟島、龜島、鹿島、忘憂島和阿佛島。快艇越衝越快，越衝越快，快得讓人忘了它正航行在無邊無際的汪洋大海，忘了它已跑了多少時間，已跑了多少海里，直到太陽隱沒海中，沒了海鳥的蹤影，沒了浪濤聲。

終於，快艇像似駛進渾沌的星雲中，只能憑藉著衛星導航的定位功能，穿梭茫茫雲霧中，不斷地飛馳著。

至於，乘坐在快艇上的旅人呢？

旅人乘著自己的意念，穿梭在無邊無際的意識海，像似被包覆在某種無知無覺的異能量下，向著潛意識般的無聲無音，無字無詞，未曾聽聞過的靜默存在，不斷地挺進著。

在挺進中，以行對此無比陌生的時空，不禁興起了無從覺察的些微恐慌，無意識地，微側著頭，看了看宇宙探發局專員。

不知過了多久，雲霧漸散，天色漸開。

旅人抬頭仰望天空，但見來自遙遠光年，無數條銀白瑞氣，攜帶著宇宙的神秘力量，放射狀地穿越黑黑白白的雲層，向著地球淋灑出愛的光輝，揮灑出紅、橙、黃、綠、藍、靛、紫等多重層次的霞光雲海，彼此烘托，彼此包覆，彼此融合，以著夢的形式，變化萬千，穿梭雲霧，幻現出雲天海象的壯麗存在。

「看啊，快看！」

「小浪花在空中跳舞耶！」

旅人在愛的光輝賜福下，看見了朵朵分明的小浪花。喔，更精確地說，他們看見了粒粒分明的水分子，興奮地，集體舞動。

旅人也興奮極了！

話說回來，旅人怎能不興奮呢？

在旅人有限的記憶裡，這可是打從睜開肉眼，未曾有過的體驗，未曾有過的精細看見啊！

第一次，憑藉著一雙肉眼，就能擁有的看見。

第一次看見了，粒粒分明的水分子，集體舞動，翻滾在一望無際的海面上；集體跳躍，向著天空飛去，而成了衝天的銀白浪濤，飛越在七彩繽紛的天空下，分不清哪兒是藍海，哪兒是雲海，沒了天和海的真實界線。

旅人看見了朵朵小浪花，不經意的，來來去去，飛越，蹦跳；看見了粒粒水分子，來了就去，去了又來，不曾一樣，而興奮不已！

可是，旅人在高亢的情緒引領下，無法有更大的真實看見啦！

他們雖然看見了天使的翅膀，卻還看不見極微小粒子，一旦接應連結了宇宙的神奇能量，就能創意揮灑，集體舞動，跳躍，翻滾，成了海天，成了雲海，成了海嘯，成了一種無比巨大，要人看見。

甚至啊，以行看不見，自己的內在，在此大能量的連結下，波擊了某種情緒記憶，讓他錯失了當下該有的看見；硬是在此令人興奮無比的時空中，隱隱騷動著，難以釋懷的莫名慌亂。

*****

無論如何，旅人腦海裡的意念啊，是話語的源頭，是行為的根本，卻總是來了就去，去了又來，像水分子一樣，不經意的，來來去去，很少被人看見；甚至，不曾被看見。

「真是這樣嗎？」或許，旅人會問。

是，千真萬確，就是這樣，也僅能這樣。

它，讓稚盈拚了命，想要記起，不知是什麼的記憶。

它，讓阿光不時的哼唱起流浪之歌，瘋狂地要去遠方，逐夢。

它，讓以行拚死拚活，搶來時空旅程，成為時空戰士，卻又因著「神話」這個符號，這個名字稱謂，一再質疑，一再抗拒，而掉入什麼也看不見的黑洞裡，自我迷茫，東奔西竄，自以為是，問這探那，而排斥了時空旅程，抗拒了當下。

「荒唐！」或許，旅人要說。

是的，荒唐。然而，就是會這樣。

而且，就在旅人看著天使的大翅膀，不斷揮動的同時。以行的腦海裡，某個小小意念，無知無覺地，受到無所分歧、不必期待的無歧地的召喚，有了無動之動的能量連結，而有了不同的意識能量，醒了過來。

不被看見的魅影，微微地，動了動，沉睡多時的迷茫身軀，伸展了，僵硬多時的四首八足，他因而有了某種迷糊的擔憂和茫然的不適。

「荒謬！」或許，旅人忍不住要說。

是的，荒謬。然而，就是這樣。

而且，不被看見的無形意識能量啊，還能化身成千萬億兆無數個樣子。它會是天，是地；是山，是水；是喜，是悲；是勇氣，是懦弱；是憤怒，是慈悲；是堅強，是軟弱；是給予，是奪取；是美麗，是醜陋；是巨大，是細微；是陰，也是陽；是世界所有一切的變異元素，化現了世界所有一切物質。

換句話說，意識能量，是所有創造物的極微元素，具有極巨大力量。

「誇大其辭罷了！」或許，旅人要說。

可是，真實就是如此，就是這樣。

而且，這個真實，不僅與旅人的念頭、情感、身體細胞，息息相關，還與整個宇宙、星際太空等巨大或極微的有形物質，如奈米、中子等息息相關。

而且，不曾被人看見的意識能量啊，也會有激情，也會有熾熱的渴望，也會玩把戲、變魔術、耍心計，要人看見。

它，是水神，是火神，是濕婆神，具有毀天滅地的大勢能；會在難以預期，卻又極具關鍵的時空裡，以大海嘯、致死病毒、大地震或某種無法抗衡的決裂超凡樣態，呈現自己極巨大的存在。

它是潑猴，膽敢猛闖海龍宮，奪取定海之柱，耍弄於掌中，塞入耳內；膽敢藐視至高權威，大鬧天宮，讓靈魂充滿了故事性的傳奇。

它是蓋亞、是大地之母、是彩虹蛇；能生養化育一切礦物、植物和動物；能化生烏魯魯巨大紅岩石群和彩虹鳥；讓大自然蘊藏著無窮無盡的奧秘與至大能量。

「一堆癡人夢話罷了！」或許，旅人難以置信。

可是，真實就是如此，就是這樣。

它，也是天行者，能小兵立大功，要人看見意識體本身的大能量，要人看見它不見的存在，透露出它那輝煌神聖的宿願，召喚出更堂皇的夢園，行使出更壯碩的創造。

它，還能顛覆千萬年時空中，一直存在於有形物質界，名叫理所當然，理當如此的一切東西；能揭露，藏蹤匿跡於幾乎無形的集體巨大存在體的骨子裡的微細東西；能深潛，到人類基因的細胞核的核心裡，勇猛地，斲斷那些萬古鎖鍊，所鎖成的族群性格，所鍊成的人性，再重新組構，再揚升躍進。

大躍進。

旅人，等著瞧吧！

旅程的真正危險或輝煌，從來就不是來自外在世界，而是來自內在時空；旅程中的真正敵人或貴人，從來就不在遙遠的他方，而是來自至近的己方。所以，旅程的重要，在於體驗，不在追尋，不必祈求。

因為，它，會不時地，出出沒沒，不曾一樣；來了又去，去了又來，就待旅人的看見；它，也會無天無地，萬般狂妄，讓魅影現身，晾在陽光下。

旅人，瞧著吧！

魅影，也會要人看見。

魅影，也會渴望被擁抱，渴望被愛，還會衝動的不顧一切，不顧一切地，去圓滿記憶體本身的遊戲，靈魂的約定啊！

*****

終於，旅人遠眺到忽巄島了。

可忽巄島是飄浮在大海中的一座孤島？

還是，懸掛在雲海中的一顆星球？

還是，流轉在太虛中的一種永恆存在？

還是，飄盪在深層意識海中的一絲記憶？

旅人僅憑一雙肉眼，絕對無法辨識它的真正樣貌啦！

在光覆著光、影覆著影的萬花筒世界，任憑旅人，多麼專注地瞧，多麼用力地看，絕對無法辨識它的真正樣貌啦！

因為，它是大地之母，讓旅人有一種溫暖的情愫，緬懷起那一絲絲熟悉感。它是絕種幻獸，殘留在千年萬年的記憶時空，似有若無的飄盪著，那些似曾相識的樣貌，有如一支獨角，長蛇身覆蓋著鱗片，寬扁的鴨嘴裡，挺立著尖銳長牙，……潛藏一股超自然大力量，綿綿延延，若有似無，絲縷牽繫，隱隱呼喚著旅人。所以，不論在什麼樣的時空裡，旅人總是亂沒來由地，起了心，動了念；不禁升起一種崇敬，一種恐懼，一種渴望，一種逃離，一種追尋，一種夢魘等，沒完沒了，毫無止息。

*****

終於，忽巄島到了。

快艇停泊在暗黑發亮的豆腐岩岸邊，一行人跨過幾塊潮濕的豆腐岩，但覺一陣滑溜，讓人突然慌亂了腳步。但幾經慌亂，重覓平衡，踏穩腳步後，低頭一看，竟已踩踏在綠色藻岩上了。

於是，旅人站在綠色藻岩，張望到忽巃島的密林，依著緩坡，綿延到天際。綠蔭中，臥躺一條石板小徑；小徑，彎彎延延，若隱若現，有如雲層中露首藏尾的遊龍。薄霧在樹冠上，緩緩飄移，然後，穿梭林間，彷彿整座忽巃島，也隨著潮汐持續晃動，緩緩飄移，難以得知，它最終將留駐哪兒？

或者，飄移何方？

於是，旅人張望到一種身在此島中，不知霧深處；在一種近視的模糊看見下，踏上了忽巃島。而且，汪洋的魔幻氣息，帶著濃濃的海味、鹽味和魚腥味，流連在旅人的鼻息，胸臆，細胞裡，一起移動在小徑間，魔幻成薄霧，一起向著忽巃島內部，飄移；向著濃密樹林，前進；向著未知，蔓延而去。

密林綠蔭中，處處可見斑斑灰影。

灰白苔蘚，滿佈石板小徑，爬上壯碩枝幹；重重灰影，在流離的薄霧間，隨處游移，在穿梭的薄光碎影間，隨風搖擺，成了活生生的灰影樹精。

灰影樹精，一下子，端著迷人的側臉，靜眺遠方；一下子，霎現巫婆的猙獰，驚得旅人緊夾雙肘，心頭撲通撲通跳；一下子，童稚的臉龐，溜起躲貓貓的神情，探看旅人；一下子，又擺出冷酷嚴厲的偵探眼，在密林裡，窺視著旅人的動靜。

旅人的心緒，也在飄移幻化不定的忽巄島時空裡，不停的變化波動著，好奇，驚心，著迷，困惑，迷離，狂熱，逃避，驚訝，閃躲……，並且，緊隨宇宙探發局專員，一步步前行，拾級而上，感覺清涼許多。沒多久，海浪的拍岸聲，就徹底的被隔絕在錯綜交織的密林外了。

一行人轉行稜谷步道，向前邁進。

沿途鐵樹、龍舌蘭、恐龍角高高聳立，蛇木處處可見。一株株厥類又高又大，仰頭一望，葉背的孢子，清晰可見。隨著步道，幾度迴轉，淙淙水聲，清晰可聞。旅人循聲，轉頭尋覓，霎見黃金瀑布，懸掛綠林間，投入金潭，再奔馳於佈滿黃金石頭的溪流中。空氣裡，滿溢濃厚的礦物質氣味，夾雜著甜膩的花香、嗆人的青草味和迷惑人心的異味。

這時，旅人的行腳，感覺輕飄飄，像似跨入某個看不見的特定地域，像似踩到了某種巨大生靈的安全警戒線。突然，鄰近的樹株，翩翩飛舞出千萬隻手掌大的白斑蝶，遮擋住陽光，奪去旅人的驚嘆目光；傳送出一種難以言喻的和諧共鳴聲，鼓動了旅人的耳膜，只能張大口，說了聲：「哇啊——」

或者該說，千萬隻白斑蝶，層層疊疊，張著千千萬萬雙眼睛，靜默的棲息，垂掛在樹上，化生成有千千萬萬隻眼睛的樹株，形成巨大的蝶聚落，而旅人就這樣，無知無覺地，擅闖了巨大生靈的禁地。剎時，蝶群驚嚇，猖惶竄飛，拋下家園，迅速噗噗拍翅，鼓動驚惶倉狂激烈的聲波，穿刺著旅人的耳膜，擾動了旅人的思維運作。而且，在蝶飛的空域中，流瀉出某種逃生警戒的特殊氣味，充塞了旅人的鼻腔和胸膛，驚嚇了旅人，有了莫名的不安與不適。

而且，在每個剎那間，驚嚇的蝶群，鼓動千千萬萬次，噗噗拍翅聲，直直灌注旅人的耳膜，壓迫旅人，衝擊神經迴路，生出一種強烈意識，感嘆起自我的無知，而忐忑不安，速速前行；生發起自我的渺小與微不足道，而靜默地，穿越巨大生靈的禁地。

然後，一行人轉個彎，擠進僅能容身的暗道，向著濕潮地心，匐匍前進，再幾度攀爬登高，步上滿是枯乾細松針的石板道。

旅人的行腳，起起落落，磨擦出嗖嗖喳喳的驚擾聲音，打破亙古靜謐的時空感。突然間，宇宙探發局專員，似乎有了某種驚鴻一瞥，就在石板道上，停下腳步；旅人也停了下來，等待著。

猛然地，專員挺不尋常地，彈跳而起。

那一跳，竟有數公尺之高！

「啊！」旅人驚得張口結舌。

然而，在目睹超越尋常的奇蹟體驗中，旅人的腦袋裡，隨即有了一股脈衝的力道，跳脫了尋常的神經迴路，揚升了內在異時空，跳出了不尋常的心靈視域。然後，驚了魂，動了魄，仰頭直望。隱約間，似乎看見了某種氣流，扶撐著專員，直搖而上，高過鄰近的樹梢。

「天啊！」旅人丟了字詞，僅能錯愕的驚嘆不已！

然後，旅人呆看著專員，又無聲無息，輕輕落地。

可是，當專員輕碰大地的剎那間，似乎啟動了不可思議的大勢能。當他再觸及石板道時，一串堅硬鏗鏘聲，隨即彈跳而出。

大地古琴，演奏出石板樂音。

石板道上的乾細松針，和著石板樂音，漩飛，舞動。旅人七嘴八舌地，探究了起來：「難道，專員就是一把活生生的鑰匙？」

「像似一把無比精純的鑰匙。」

「一把連結上大自然，開啟宇宙意識的人體鑰匙。」

鏗鏘樂音，方停歇；乾細松針，紛紛落。一片綿延的古老河谷地，就現身旅人眼前了。

*****

忽巄島的古河口處，停靠一竹筏。一隻長腳白鷺，立在竹筏前端，一動也不動，眺望著。

撐篙人，頭戴大斗笠，遮去了大半個臉，也遮去了大半視線，無動於衷似的，靜待旅人的到來。

「他怎麼知道，我們要來。」

宇宙探發局專員，沒有回答。

其實，撐篙人一直都在。

他，一直都在。

他穿著一身土灰色粗布衫褲，在腰間，隨意紮條麻布帶，繫個竹編小魚簍，立在竹筏尾端，撐著長篙，一直靜候著，一直等在那兒。專員沒有打招呼，沒有多說什麼，靜默的，上了竹筏，坐了下來。

一切自自然然，輕輕鬆鬆，就這樣；無需探問，無需祈求，一切就是。

旅人，也就不多說、不多問，靜默的，上了竹筏，坐了下來。然後，竹筏就擺渡旅人，順河而上，深入乍現的忽巄島古時空，直駛自然童真之境，奔赴幻想馳騁的國度，遊蕩異時空。

河岸的兩旁，竟是大片大片的紅樹林、海茄苳和海草桐，綠樹冠牽連成綠隧道。黃泥濕地上，直立著一株株水筆仔，招潮蟹忙祿的爭著地盤。一隻有著細長黃腳的小鷺，施展輕功，站在中空的水筆仔上，拉長脖子，靜候獵物的到來。

陽光穿梭、游離河面上，漾動著光影。

竹筏平靜無波的滑行在古河道上。撐篙人，默默的撐著篙，擺渡旅人。

遠遠的，傳來孩童的嬉鬧聲和凌亂不一的拍水聲。

仔細一聽，那些低濺的水花聲中，夾雜著悶悶的木棍搗衣聲。

「我們快到了嗎？」阿光問著。

宇宙探發局專員，仍然沒有回答。

他像似來自沉默星球，引領旅人，穿梭時空，行向無歧地。

於是，旅人彼此對看了一眼。那交換的眼神，似乎在問著：「他是啞巴嗎？」不過，他們沒有那麼白目，因為，出了聲，說出口，就太不禮貌了。然後，他們便本能地，進入了極微細的時空裡。

當旅人輕輕鬆鬆，自顧自地東看西瞧時，腦袋裡的內嵌配備，啟動了微距鏡頭，或是深藏潛意識裡的上古記憶，讓旅人看見了古河岸邊，一顆顆水珠，晶瑩剔透，還內嵌著一朵朵花影；看見了小螞蟻推著比身體還大的水珠，映照出動人的倒影；看見了懸掛在蜘蛛網上的水珠，隨著微風搖擺時，不時地，從空中抱住錯身而過的花粉；用一顆顆黃豔豔的花粉，裝飾成一身的晶亮奢華。

不知過了多久，稚盈突然驚喜大叫：「你們看，好多泡泡。」

旅人循聲，遙望遠方。

遠方，正有綿綿延延的泡泡群，向著旅人飛過來。泡泡群的盡頭，似乎有兩個模糊的人影，穿著彩色斑爛的連身服，掛著逗趣彩妝的笑臉，鼻頭上還晃蕩著一顆大紅球。他們不時地，仰頭、側身或把身體扭麻花似地，擺出各式各樣的姿態，吹著七彩泡泡；吹出一串串，大大小小，長長圓圓的七彩泡泡。

而且，其中一人，還誇張至極的，高舉腳丫子，搖啊搖。腳丫上，懸掛著一艘小船似的草鞋，挺刻意地，晃呀晃，似乎在搧風，推送著七彩泡泡群，能夠飄呀飄，飄得遠遠地，去歡迎遠地而來的旅人。就這樣，兩人把自己埋進，推推擠擠，層層疊疊，綿綿延延的，七彩泡泡群裡，成了似有若無的模糊影像的存在啦！

於是，稚盈忍不住地，拉長上半身，顧不得筏上安全，伸長手臂，就是要接住，從前方飄飛而來的七彩泡泡。

七彩泡泡，有的長長的，像七彩的彎彎小河，順著河面飛行，在河底倒映著，美倫美奐的七彩倒影；有的大又圓，像七彩的熱氣球，上上下下地，蹦飛在河面上，穿梭在彎彎的長氣泡中。更絕的是，熱氣球泡泡裡，還內嵌著許許多多，大大小小的泡泡。

七彩泡泡，不斷翻轉、幻化色彩。一下子，黏結聚合，成為層層疊疊、炫麗無比的七彩大華宮；一下子，拉扯分離，成為大大小小的七彩泡泡群。

這隨興幻化的童趣世界，顯現了諸多美麗的剎那，邀約著旅人，去拜訪最美好的忽巄島。這令人目眩神移的萬花筒世界，充盈了當下時空的無限可能，邀約著旅人，去尋覓最嚮往的異世界。

這是一段最童真、歡樂的奇幻旅程。

可是，當稚盈想攀上熱氣球時，剎那間，熱氣球爆裂了。

「啊，多麼美麗的七彩泡泡，怎麼數也數不清呀！」

稚盈目不轉睛，盯視著一顆顆竄飛而出的七彩泡泡。她忍不住地伸出手來，想要接住美麗的七彩泡泡。可是，就在她的手指尖兒，輕輕碰觸到泡泡的亮彩邊緣時，剎那間，七彩泡泡，啵——，幻滅的無影無蹤。

「啊——」稚盈有點小失望。不過，眼前的七彩泡泡，多的讓人目不暇及，數也數不清。

「沒關係。」她心想著。

「沒關係。」她興致勃勃地，試了又試，直想接住迎面而來的七彩泡泡。

旅人們，試了又試，直想抓住翻飛的七彩泡泡。

可是，任誰也沒能真正握住任何一顆泡泡。

哎，歡樂總是來了又去，去了又來。

稚盈看著乍現乍逝的泡泡美夢，一時之間，感到難以適從，暗暗忖思，「難道，這些七彩泡泡，只是，剎那的存在？」一時之間，她似乎窺見了些微天光，絲縷玄機，暗暗自問：「難道，這些七彩泡泡，只是，存在於此時此刻的時空中？」

但是，她還不知道，在最童真，最艷羨的夢想世界裡，永遠隱藏著，美好的一切，隨時會被掠奪而去，被銷毀而去的事實。

02 驚醒的迷航魚

「對不起，我不知道，我從來都不知道會是這樣啊！」

「請原諒我！」

它使盡殘破無力的意念波動，真心懺悔著；無比哀傷的意念，波動起毀天滅地似的瀕死絕境，沒了家的澈底絕望。

竹筏靜靜的滑行，以行看著幻化的七彩泡泡，想像的思維粒子，毫不停歇的波動，生動地，編織河岸風光。

於是，他看到搗衣婦蹲在古河道旁，隨手折來一把長梗草，隨興的圈住溼土，弄出個低矮牆，造出個淺水窪，窪旁散落幾顆無患子。孩童們，在岸邊打轉，追逐，玩吹泡泡遊戲。

篤篤篤，篤篤篤，搗衣婦不時地，用木棍搗衣。然後，在烏黑發亮的石頭上，搓揉幾下，又提起衣服，按入腳旁的淺水窪裡，沾一沾浸衣水後，又提起衣服，搓揉幾下，再用木棍搗出悶悶的篤篤聲。

以行看了又看，直叫著：「有趣。」

於是，他順手從古河道旁，扯起一枝水草，綁個圈圈，學著孩童們，往淺水窪裡一沾。這時，不知是粒子訊息場的交會，還是以行的草圈，衝破了平行時空，提取到擣衣婦的浸衣水。同時，他似乎也意識到念力的神奇力量與不凡造化，就開心的叫了一聲，「厲害。」

然後，他把浸了無患子水的草圈，迎著風，輕輕揮動了幾下，一顆顆的七彩泡泡，翩飛在竹筏上，流連在時空旅人身旁了。

「看，我的七彩泡泡。」

阿光和稚盈有樣學樣，七彩泡泡越來越多，時空旅人更是開心的在竹筏上嬉鬧玩耍起來了。而且，乘著旅人的泡泡遊戲，竹筏就變得越來越大，越來越美麗。七彩泡泡，飄浮在竹筏上，飄浮在竹筏前、後、左、右，把竹筏裝飾的像一艘豪華的七彩琉璃畫舫，靜靜的航行在忽巃島的古河道上。

越來越多的七彩泡泡，簇擁著琉璃畫舫和時空旅人，飄浮在整個河面上，綿綿延延數里長。而且，在七彩泡泡的簇擁漂浮下，畫舫就在陽光、水影、微風中，飄遊到更遠的河灣異地了。

這時，旅人們聽到了，空中流竄著一連串的陌生耳語聲，帶著某種被叫成南島語系的語調，嘰嘰喳喳個不停。他們不禁興致勃勃，有如千里眼、順風耳，搜

尋著像世外桃源般的河灣異地。

「你看，那邊停靠著一艘又一艘的船。」

「拉條繩子，就曬起衣服了。」

「不僅曬衣服，還曬著一條條魚乾呀！」

「嗯，窄窄的木板條，就是這一艘船到另一艘船的跨河大橋了。」

「好想上船去看看？」

沒想到，稚盈的意念一波動，神奇的念力，就讓旅人上了水上人家的船屋。

船屋的甲板上，堆放著大大小小的魚簍和幾只裝魚的彩色塑膠盆。船主人拿著瓠瓜瓢，正忙著從破了洞的甲板，舀起河灣水來清洗魚腹，並把拉出的魚腸魚肚，拋回河灣中，餵魚。

小船上，清楚的隔出神明廳、主臥室、小孩房和廚房。

神明廳，擺著神龍穿梭雲間的木雕像和一盤魚供品。三柱香煙裊裊，散發出檀香味，向著古河灣飄呀飄，上達藍的不能再藍的藍天裡。

臥室的甲板，鋪上幾塊花棉布，就是要屈膝彎身才能睡得下的床。

廚房不比神明廳大多少，卻也堆疊著生鐵鍋、瓦斯罐、鋁勺子、竹鍋鏟和幾個缺了口、裂了縫的陶製杯碗盤，那就是所有的生活必需品啦！

河灣異地上，涼風陣陣，吹拂著簇擁漂浮的七彩泡泡，飄遊到空曠寬廣的河灣中央，帶著時空旅人，欣賞奇異風光。

「好多小舢舨喔！」

「嗯，這裡是孩童天堂。」

「活靈活現的水中精靈啊！」

「真是幹練的小水手。」

「你看，腳丫划船！」

「豈止划船！你看這邊，腳丫划船，臂彎掛香蕉，手裡握野菜，還大聲叫賣、找人交換明礬。」

旅人們看得嘖嘖稱奇。

「怪啦！在這河灣中，怎麼會有一口白箱子？」

「妳再看清楚，那可不只是箱子。」

「難道，是船？」

「就是船。」

*****

旅人們好奇的趨前一看。

小船長斜躺在保麗龍船裡，彎曲著健美的小腿，上下不停擺動著腳底板。那一雙粉紅稚嫩的腳底板，得意的以九十度仰角，隨興的踩踏在帶有鮮綠小葉的兩截樹幹上。

河灣中的古老陽光，奔放的淋灑到狹小船艙的每一個角落，炙吻著小船長黝黑透亮的身軀。他還噘起小嘴，吹出一口如風吟唱的口哨，聽起來無比自在。

「它牢靠嗎？」

「你說我的小白？」

「嗯！」

「當然牢靠啊！要不然，哪能抵得過大風大浪，來到這兒？」

以行不自覺地，轉頭遙望看不見的古河口，叨唸著：「厲害啊！」

他的讚嘆聲，隱約存有某種感慨和疑惑。

因為，密令已下。

可他未曾意識到，密令一旦發威，一切有的沒的，就自自然然的，生發繁衍了起來；一切沒的有的，就無比真實，活生生地，在眼前耀武揚威，宣告著物質影像的具體存在。而且，他不自覺地，自我催化思維波動，投注不存在的想像時，就又有了莫名的不安和焦慮，而困惑地嘟囔著：「這是保麗龍魚箱呀！」

「一只廢棄箱。」阿光不予置信地，搖了搖頭，然後，帶點不屑的口吻說。

「我不知道，你們在說什麼？」小船長仍悠哉悠哉，自得其樂地說：「不過，爺爺說，小白有自己的故事啦！」

「哦，什麼故事呢？」稚盈興致勃勃地，追問起來。

「快說來聽聽。」

「很久很久以前，有一個非常勢利的巨人族，貪圖方便，想方設法，造出大大小小，許許多多的小白族，來幫巨人族做事。」

「小白族是AI嗎？」以行問。

小船長茫然無知的停頓著，沒說什麼；或者，不知該說什麼？

阿光見狀，直催著：「然後呢？」

「然後，巨人族就任意地叫小白族做這做那，把它們當成奴隸來驅使。」

「真有這回事？」以行雙手環抱胸前，帶點質疑的語氣，質問著。

「真的。」小船長睜著清澈透亮的眼珠子，看了看旅人，繼續說：「有時，巨人族用滾燙油水，嘩啦一聲，淋了下來，小白族就破了皮，掉了魂，可是，巨人族一點也不在乎，小白族哼不出一點聲音來，只能默默承受。」

「真有這種事？！」阿光瞪圓眼珠，一副難以置信，誇張至極的提高聲音，又問著。

「有些巨人族，還會豢養較大的小白族，像小白這樣，去吞食海中精靈，去囚禁蝦蚌魚蟹等生靈，然後，巨人族就把小白族和海中精靈等，棄置到零下二十度的冰凍時空裡，害得一隻隻生靈，冷得沒了意識，沒了活動能力，掉入永眠狀態，久久回不了家。後來，小白覺得：『夠了，真是夠了！』」

「然後呢？」

「小白挺不開心。他不想再囚禁海中精靈，不想再陪伴僵硬魚蝦，不想再吞食腥臭死屍了。」

「真是的！」

「那小白該怎麼辦呢？」

「小白不知道該怎麼辦！他沒手沒腳，無法逃離巨人族的掌控與奴役。可是，他無法再忍受下去了。他無法眼睜睜地，再看巨人族的邪惡行徑。他再也不願意幫巨人族去幹下傷天害理的蠢事了。他感到痛苦至極。」

「然後呢？」

「後來，小白只能過一天，算一天，再苦的日子，也只能咬牙切齒，熬下去啊！」

「真慘！」

「是啊！直到有一天，天空是閃電雷霆交加的天空，大海是狂風暴雨的大海。小白被迫在雷聲電光、大風大浪中，緊急吞食所有生靈。這時，風巨魔發狂似地猛烈攻擊巨人族，掀起了滔天駭浪大混戰，船隻一下子衝上天，一下子搖搖擺擺，就要翻了身。小白趁著大混戰，乘機藏在風巨魔的尾巴裡，使出飛天本領，逃離了巨人族的掌控，然後，隨波逐流，流浪到古河灣異地，遇見了爺爺，成了爸爸的寶貝，現在，成了我的夥伴啦！」

「哦，真是有趣的故事。」

「你在做什麼呢？」

「釣魚啊！」

「沒了餌，怎麼釣？」

「釣得到嗎？」

「我已經釣到了。不是嗎？」

「啊？！」

瞬間，以行的意念，迅速跳躍，強烈波動出渦漩的動能來了。然後，不知不覺中，簇擁漂浮的七彩氣泡，就連結上以行，帶著他無縫接軌似的，滑進了漾動的光束中，極為快速的穿梭時空。在穿梭光束中，以行的每一個細胞，似乎一一解構了原來的身體時空位置感，然後，順順利利地，滑進河灣底。

一入河灣底，他就自自然然地，張著嘴、吐泡泡。甚至，連嗆到自己的口水那般平常的事，都不曾發生過一次。

他自由自在，極為舒暢的洄游著，像似回到了家。

「太好了，有一大群同伴耶！」

他感到周身滑溜，游起來毫不費力氣。

而那穿透河灣水的自然陽光啊，淋灑在以行身上，讓他感到無比的親切與溫潤，就像是你中有我，我中有你，渾然一體的，忘了自己原來該有的樣子。

而這種忘記呀，似乎更像是，讓他記了起來；讓他感到某種難以言說的神妙，記起自己，本來就是一條魚。更正確地說，他感覺到自己是魚，又不是魚；是河灣水，又不是河灣水；是陽光，又不是陽光；而這一切的一切，是如許自然，又如許神妙的渾然一體。

「這河灣底，真是幸福天堂呀！」

「嗨，兄弟姊妹們，大家好！」

他驚喜地，看著大肚魚錯身而過；望著水草裡的烏龜，感到無比新奇；滿心歡欣地，在蓮葉間穿梭、捉迷藏，享受著美妙的奇異旅程。

「如果爸爸在這裡，不知該有多好。」

他自由自在地，游來游去，不禁自鳴得意了起來。

*****

突然，小魚群起了大騷動。

「危險來了！」

小魚群紛紛倉皇逃命。

以行也驚慌的東張西望，尋覓友伴，期待友伴能幫忙自己，順利逃離危險境地。

可是，小魚們倉皇四散，各自逃命去了。

再說，這下子，小魚們各自小命難保，誰會有閒功夫，看顧得了以行呢？

他萬分驚恐地，在陌生的河灣底，到處亂游、亂竄，渴望逃離危險。

他沒命的逃著、竄著，沒多久，就迷航在河灣底了。

他迷茫地游竄，期望竄到大鯽魚旁，多多少少，能僥倖地，得到一絲絲喘息的機會；或者，能博取到些許可憐的庇護。

「可是，等一下！」

他在逃命亂竄中，意念驚覺到，大鯽魚正要鼓動魚鰓，揚起魚鰭，返身追殺而來了。

這下子，他倒像是自尋死路，自投羅網了。

「啊！怎麼會這樣？」

小魚群，全部慌亂的陷入了共通的命運中，逃命聲四起。

「逃！」

「快逃呀！」

然而，每一隻小魚，都得各自奮鬥，各自尋求自我生命的出口。

「天啊！請你庇佑小魚們，能逃過此劫。」以行深陷此危難中，一邊祈求老天庇佑，一邊本能地迴轉小身軀，躲進蓮葉縫裡，大口喘著氣，萬般慶幸，逃過了一大劫。

可是，萬萬沒想到，蓮葉底，又殺出金黃橘紅的大鯉魚來了。

事出突然，以行慌得腦袋瓜一片空白，不知該如何是好？

大鯉魚衝著以行，游過來。

游過來了。

致命關頭，該當如何？

怎麼辦？

「爸爸，救我。」

萬般驚恐中，以行不由自主地，轉動小身軀；無意識地，持唸咒語般，脫口而出，「爸爸，救我。」

可是，爸爸不在這兒。

大鯉魚高高一躍，漩起河灣底的腐葉、蟲屍，拖泥帶水的從天而降，打得以行小魚暈頭暈腦，快要無法呼吸了。

牠無比驚慌，亂竄亂游，險象環生。

牠炫目在漾動的光影中，恐慌猶豫著，到底該何去何從？

牠被拋擲在細碎紛亂、顛狂舞動的浪潮中，幾乎要滅頂。

牠陷溺在渾濁、混亂、暗澹的泡泡裡，像似沒入重重暗黑冥府中。

剎那間，一陣強烈水流從四面八方席捲而來。

牠毫無招架之力。

牠被捲入了強烈漩轉的水流中，暈天暈地了。

牠在猛烈奔竄的水流間翻滾，載浮載沉著。

牠絕非自主地被席捲而去——，回不了頭！

牠被席捲進入陰暗海溝。

「媽呀，我完了。」

「完了，我真的完了！」

然後，牠徹徹底底地，墜入暗無天日的地獄啦！

「沒命啦！」

「媽呀，不要——。」

「我不要莫名其妙的死去。」

牠無比憤怒，沒天沒地的在暗無天日的地獄中，叫嚷著。

可沒人能夠聽得到，那澈底絕望的怒吼。

「我不要這樣死去——」

「我要活下來。」

瞬間，牠又受到突如其來，天翻地覆的折騰，翻著胃，像是坐上雲霄飛車，心臟即將跳出口。

牠在幽冥中，驚聲尖叫著。

「媽呀！」

「爸爸，救我。」

然後，嘩啦聲響，直直衝出水面，瀉進天光。

原來，大鯉魚上了魚鉤啦！

大鯉魚慌得張大嘴，喘大氣，全身扭擺，使勁逃命。

可是，徒勞無功。

而以行小魚呢？

牠倒是絕境逢生了。

牠急急忙忙地游出陰暗海溝，跳出地獄門，萬般僥倖的逃離死劫，並且，迅速竄逃到保麗龍船的陰影下，忐忑不安的張大口、喘粗氣。

牠的心臟，怦怦然，狂跳不已！

然後，一陣莫名的感動，襲擊而來，魚眼眶滾出一大顆淚珠，掉落河灣中，旋即被稀釋掉某種苦澀的鹽分，化為河灣水；然後，腦袋瓜一片空白，當機了好一會兒。

然後，牠懂了；懂了某個部分的自己。

牠經歷了迷航中的驚險，才懂了小魚，懂得生活中的現實，懂得爸爸那些唐突的雷吼了。

牠終於懂得生存中的某些殘酷和自己擁有的幸福啦！

*****

牢牢的，大鯉魚被魚鉤釣上了。

小船長俐落有勁的輪轉著手指頭，回收長長的釣線。

他緊盯著獵物，自信滿滿的要把大鯉魚拉進小白船。

說來遲，那時快，大鯉魚更是猛力的擺首搖尾，直想甩掉釣鉤；牠拼命的擺鰭晃身，直想逃命。

這時，大鯉魚拚命要竄逃，保命；小船長猛力要釣起獵物，保住巨大獲得；雙方的出招應招，在激烈的意念驅使下，招招都是致命搏擊。

致命搏擊，是快、狠、準的意念交戰，是慘烈的出生入死，是剎那間的生死關頭；無論是誰，只想贏。

贏，是這場殊死戰的終極欲求。

大鯉魚猛力要脫鉤，小船長死力拉扯、猛力收線；大鯉魚狂亂逃命、飛飆，把小白船扯進黑暗漩渦、莫名險境；小白船劇烈顛簸，搖晃起瘋狗惡浪，害得小船長險些失了大魚，丟了小命。

而躲在陰影下避難的以行，註定被橫掃入更兇惡的致命戰場，陷溺在更黑暗的未知之境；牠被生死搏擊造成的巨浪，惡狠狠的拋擲出去，瞬間，又被捲入漩渦暗水中。然後，一幕幕驚悚的世界，臨現在牠的身旁。

牠墜落在黑暗中；和更大的黑暗宇宙意識，劇烈地聯動起來。

牠聽到海豚擱淺在橫橫豎豎千絲萬縷的漁網堆中，哀鳴著。

牠看到大海雁啄起一個又一個鮮豔的塑膠瓶蓋，無知的餵養嗷嗷待哺的小海雁，一步步地，把最愛送進消化不良的墳場裡。

牠聞到血紅的海洋上，流竄著嗆鼻無法呼吸的死亡氣息。

而且，就在以行的一呼一吸，吞吐吸納間，牠本身的氣息和牠所聽到、看到、聞到的現象，交錯融合，成為無比痛苦的渾然一體啦！

牠真真切切的感受到人類的貪婪、無知和自以為是的行為報應了。

牠是無望哀鳴的海豚。

牠是無知慟心的海雁爸爸。

牠是死亡之海裡的小魚。

牠感受到全身的每一塊肌膚，同時被熱油淋灑炙燒而過的痛楚，每一個細胞無法停歇的崩解潰爛而去的澈底絕望。

牠痛徹心扉，無法呼吸，而僅彌留著殘破的意念，無力波動著。

「天啊！我該怎麼辦？」

「對不起，我不知道，從來都不知道會是這樣啊！」

「請原諒我！」

牠使盡殘破無力的意念波動，真心懺悔著；無比哀傷的意念，波動起毀天滅地似的瀕死絕境，沒了家的澈底絕望。

「媽媽，救我。」

「爸爸，救我。」

「我要回家。」

剎時，無力波動的意念，強烈波動了起來。

牠，快速地，穿梭光束。

而且，每一個細胞，也在極為快速的穿梭中，一一解構了小魚的身體時空位置感，再度成為竹筏上的以行。

*****

水波不興，竹筏平順無聲的滑行在古河道上，像似滑行在忘川上。

旅人忘了時間，忘了平常，忘了應該，忘了汲汲營營所在乎的一切，就順著思維想像力的漣漪效應，任由一切發生。

因為，不論多麼重要的大事，微塵瑣碎事，皆是意念波動的漣漪，皆是思維想像力的效應而已！

既然來了，就會去了；任由一切來來去去，任由一切發生。

然而，這一切的發生，是如此真實，如此逼真，直讓以行，誤以為真，而歉疚，而疲憊，而傷心欲絕，就像死了過去，又活了過來。

然而，這一切的發生，是如此真實，如此逼真，直讓以行，信以為真，真的在身體的某處，烙下了像刺青般的印記；在腦袋裡，烙下了難以忘記的記憶；在心靈裡，呼喚著某種早已忘記的印痕。

這一切的發生，是弔詭的遊戲，是肉體的真實體驗，是靈魂的欲想驗證，是生命的淬鍊，是一場冒險旅程。

一場心靈的冒險旅程。

然而，阿光和稚盈，可能不曾知曉，以行去了哪兒？

可能不得而知，以行經歷了什麼？

這時，七彩泡泡越來越多，還漫出河道，喚醒了一朵朵野花，嗶嗶啵啵展現出紅的、黃的、藍的絕美笑意，在微風中舞動著。阿光和稚盈仍玩著七彩泡泡，玩得正盡興哩！

越來越多的七彩泡泡，簇擁著七彩錦魚、綠水草、黃金石頭、蓮花，還有水中精靈，飄浮在河面上了。

「來了，它們上了竹筏來了！」

「它們一起來搭乘豪華七彩畫舫了！」

「來吧！一起來玩吧！」稚盈張開雙臂，打著招呼。

這一切的一切，是多麼的純真與喜悅，多麼的不可思議啊！

以行也就難以相信的，振作了起來。

於是，大伙兒就在竹筏上追逐，在畫舫上戲耍，玩得忘記時間的存在了。

徹徹底底地，忘了時間啦！

阿光和綠水草忙著比劍術。

稚盈玩著玩著，竟被一個好大的泡泡包裹著，頭上還放著一朵蓮花泡泡，和水中精靈一起跳著舞。

以行扮演捕快，追七彩錦魚；他抽出隨身利劍，高高彈跳而起。突然，他把自己定在空中；像木頭人般，一動也不動的定在空中。

他看著自己，俯首看了看竹筏，又側頭看了看河岸，起了心，動了念，說了聲：「怪了！」

話音一落，俐落的功夫，剎時，笨拙如昔；輕盈的身軀，剎時，笨重無比，「砰——」一聲，跌落在竹筏上，像似衝撞到某個平行時空，攪亂了訊息能量場，嚇得七彩錦魚一一啪嗒落水，跌落忘川裡。

喧聲譁起，激盪著古河道。

「奇怪，這麼久了，怎麼還沒到？」阿光也停下來，不再玩耍。

「怎麼啦？」稚盈問著。

「你們看，我們這番玩鬧，這番異象，他們連看都不看。」以行滿臉困惑著。

「對耶！」稚盈看了看週遭，繼續說：「水上人家照常過活，洗衣婦照常搗衣，孩童們照常嬉鬧，撐篙人照常撐篙，宇宙探發局專員仍然不哼一聲，他們一點回應都沒有，一切就這樣。怪耶！真怪！好像我們根本不在這兒。」

「不在這裡？」阿光愣了。

「難不成，我們跳脫時空了。」稚盈又說。

「這一切的一切，都不是真的。」以行似乎憶起了衲伯，有如蚊子嗡嗡般，喃喃自語。

可是，一時之間，他又無法相信自己，也無法接受這番不經大腦思維的話語，又罵起自己：「白癡啊！滿口荒唐語。」

然而，可以確定的是，以行不再盲目地，渴求時空旅行；不再狂妄地，承擔時空旅程的一切；不再無知地，自以為是了。

他真切地感受到，沒了爸爸，沒了媽媽，沒了家的庇護，是多麼的孤寂和無助；沒了海洋，沒了世界，沒了大家園，也就沒了自己，會帶來永久滅絕。

這時，他忽然覺得，這河流，這海洋，這世界，才真得真得來到他的眼前，而自己變得好小好小，縮得比螻蟻的微細腳足還小；自己是多麼渺小，多麼不足為道，又多麼戀家啊！

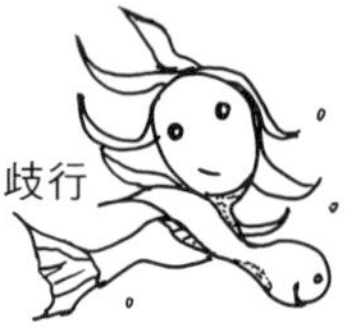

而且，他不禁納悶，這麼久以來，為什麼都沒注意到，自己是如此的渺小、荒謬與無力承擔啊！

還好，迷航的旅程，總會伴隨不可思議的風景，照亮人的眼睛，以行終於清晰的意識到，某個自己的存在。

遇見了未知的自己。

同時，他也因為撞見了未曾意識到的自己，而有了想要自我超越的需求和自主意願；有了嘗試的勇氣，去理解爸爸的真實心意；有了溫柔的力量，去感同身受媽媽的細心呵護；他欲求自己，更勇敢、更獨立、更能承擔。

而且，隱隱約約中，他對時空旅行，有了不同的理解，有了不同的期待意識，要去遇見未知的自己，撞見不一樣的我。

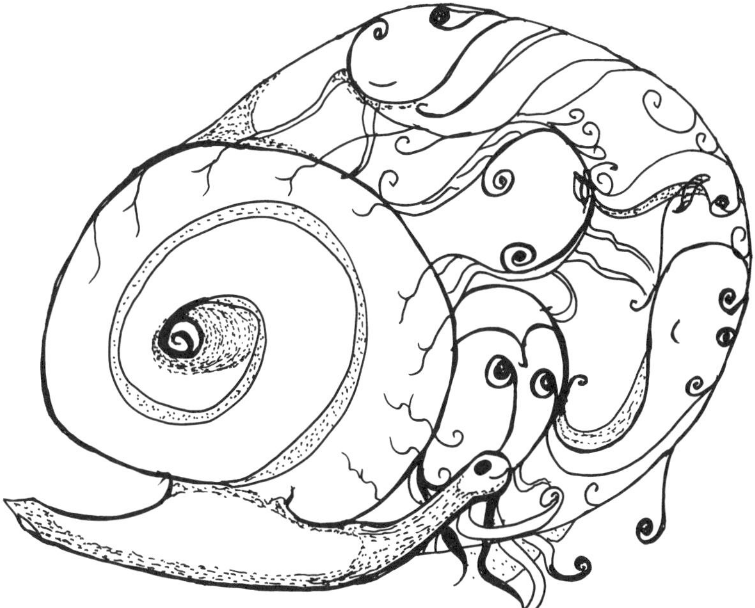

03

樹精的魅惑

他莫可奈何，半信半疑，僵著硬石頭般的身子，投射出殺氣騰騰的銳利眼神，盯視一切動靜，準備隨時應戰，而一動也不動。

可那雙如鷹似豹的眼神，又飄忽閃逝出緊繃的身軀裡，佈滿了脆弱易斷的神經，膽小如鼠，準備隨時拔腿逃命，而一動也不動。

嗚——

長長的海螺號角聲，響了起來。

時空旅人，急忙循著海螺聲的來處，東張西望，尋覓一番。

然而，只見不遠處的綠林樹梢上，輕輕搖晃了幾下，又靜止不動了。

天際有一隻老鷹，正展翅盤旋，不見其它蹤影。

旅人只好放棄尋覓，迴轉身來。

可一迴轉身來，七彩泡泡，全都不見了；恆如乍起乍逝的念頭般，飄逝無蹤。

竹筏，輕微的晃動了一兩下，輕巧的靠岸了。

撐篙人，跳上碼頭，繫好纜繩，停妥竹筏。

宇宙探發局專員，立即跨下竹筏，不吭一聲地，步上濕潮斑駁的木棧道，然後，直直地，向前領路而去。

他的領路，就像每一天我們出了家門，走在馬路上，搭公車，趕捷運，坐飛機的行程中，那些我們曾經遇到的警察，計程車司機，義消，剪票員，問路人……，和許許多多錯身而過的旅伴，彼此不曾多說話，不曾認真對視一眼。

他的陪伴，就像你我日常生活中，身邊本來就存在著，許許多多的事事物物，可我們少有真正的注意到，真正的看到，它們的隱然存在。

因為，你我經常被目的攫住心神了。

*****

木棧道旁，聳立著異常濃密的綠樹，枝枒像極了綠珊瑚，大片大片的成長著。以行一上岸，看了看週遭陌生的環境，升起一股莫名的不確定感，遲疑的緩了緩步子，說：「這一大片綠油油的樹，實在是綠的太亮，綠的太深了！」

然後，以行毫不猶豫地，隨著專員，直直地，向前走去；或是說，隨著直覺，快步離開大片大片的綠樹，直直地，向前走去。

「終於，到了！」阿光一上岸，免不了嚷嚷幾聲。

在這新時空中，他一點也不急；不急著跟上專員的腳步，不急著向時空旅程，直直邁進。

他流連在木棧道旁，被炫眼的綠光，攫住了。

他駐足不前，東看西瞧，萬般好奇的，把玩著身旁的綠樹，搓揉著綠枝枒，讚嘆著說：「好綠喔！這一大片一大片生長的綠樹，實在是綠的太深，綠得映出綠光來了。」

「這綠光啊，綠著人的身，綠著人的眼，綠著人的心，都要長出小綠芽囉！」稚盈也駐足觀看，欣喜的說著。

「嗯，綠著人的心呀——」

突然，阿光驚慌的叫著：「這綠枝枒，會纏人啊！」

「我的媽呀，怎麼這麼麻，好癢喔！」阿光嚎叫著，想要從綠枝枒間，硬抽出手來。可是，他驚慌害怕，綠枝枒也跟著驚慌害怕；他胡亂用力甩手，綠枝枒也胡亂甩動枝枒。

阿光恐懼的使力拉扯，扭轉身子，直想扯斷綠枝枒的糾纏，以便脫身；可萬萬沒想到，綠枝枒也恐懼的甩動枝條，聯動起枝幹，強力圍勦，纏綑阿光來了。

「這到底是怎麼一回事啊！」

阿光怎麼想，也想不到，他就如此萬般荒唐地，陷入樹與人的近身肉搏戰了。而且，稚盈也一併遭受到池魚之殃的攻擊啦！

「真恐怖的綠枝枒。」她直想轉身而去，逃之夭夭。

可是，阿光正陷溺肉搏戰，她能棄友伴於不顧嗎？

不，稚盈不能。

她相信旅程中的友伴，是漫漫黑夜中的小燈火。

她深信旅程中，少了旅伴，會多了孤寂；少了支持，會多了無助。

她目睹好友陷溺危急的肉搏戰中，不由自主地，萬般慌亂，腦袋空白，不知道該怎麼辦才好。

就在這時，綠枝枒全力反撲圍剿，正滲出極微細小的暗黑元素，慌亂著旅人的心緒，一點一滴，絲絲縷縷的，痲痺著旅人的肉體。無論如何，稚盈無法就這樣，丟下阿光，轉身離去；她無法不被牽扯，同陷戰事中。

然而，稚盈想要顧得自身安全，又無法全力救援阿光。她只能進進退退，閃閃躲躲，經歷著幾番危急的掙扎與勉強對抗，搞得快要全身乏力啦！

她愣頭愣腦，看著暗黑軍團，潛行移防，入侵阿光。

她親眼目睹著，暗黑軍團所到之處，隨即一片烏青墨綠；她親眼目睹著，暗黑軍團，一點一滴地，緩緩滲進阿光的指尖、指環、所有手指頭，還爬呀爬，攻上他的手掌心，盤據整個手掌，然後，才驚嚇的眼露警戒之光，驚恐的出聲嚷嚷：「阿光，你的手。」

阿光低頭一瞧，隨即失聲驚叫：「啊——」

他一瞥見烏青腫脹的手掌背，像似長滿深毒綠霉的大饅頭，瞬間，意識激烈聯結，翻攪出狂亂情緒，引爆深層恐懼。

他無比驚恐，嘶吼著：「媽呀，我的手！」然後，發狂似地，扭動身軀，使盡全身蠻力，賣命似地，欲想抽離綠枝枒的圍攻與死纏爛打。

可是，旅人的驚恐，於事無補。

旅人的激烈攻防，讓自己陷入更莫名的危險境地，激起更瘋狂的樹人之戰。

因為，綠枝枒接收了旅人的狂亂意識，也就毫不猶豫地，認定阿光為頭號敵人，毫不停歇地，派遣龐大的暗黑軍團，整齊有序地，緩緩潛行滲透，入侵敵營，攻向阿光的身體來了。

「我的天呀！」

暗黑軍團，多方潛行，井然有序地移防，滴水不露的滲透，入侵敵軍。

「真是見鬼啦！」

黑暗勢力所到之處，瞬間化成一片墨綠烏青，腫脹的慘不忍睹。

阿光面對龐大的暗黑勢力，毫無招架之力。他無力至極，只能任憑宰割，任憑荼毒。

「媽呀！怎麼會這樣！」

他驚慌錯亂，不斷哀嚎求饒，「放開我。」

「放開我。」

可是，強大的黑暗質能，全面圍剿來了！暗黑軍團，一步步前進，攻進了阿光的手臂，滲進胸膛……

然而，旅人對綠枝枒的暗黑力量，一片空白；對於看不見的隱藏力道，到底會造成什麼樣的傷害，有何不堪設想的後果，全然無知。

稚盈親眼目睹著阿光，一點一滴的，沒了手指頭，沒了手掌，沒了手臂，沒了原來的肉體……，漸次地，將要化成綠枝枒；化成大片大片的綠樹啦！

然後，她記起剛剛說了：「綠著人的心」時，不禁嚇出一身冷汗；剎時，滿載負向意識能量的念頭，接二連三，奔騰而來。

「天啊，阿光快要被攻陷了。」

「他的心臟，要麻痺了。」

她陷入極度恐慌中，意念極速波動，跳躍。

「阿光要死了！」

「阿光就要走了。」

極速波動，跳躍的意念波潮，激射出思維的脈衝波，鋪天蓋地，衝出了強大的思維力量來了；難以預期地，剎那間，靈光閃現；她大聲疾呼：「別動！」

「阿光，不要動。」

驚恐至極的阿光，聞聲，剎時愣住。

「別動，阿光！」

阿光被綠枝枒捆住，成了人不是人，樹不是樹，慘不忍睹。他困在人樹大戰時空，腦袋一片空白，而一動也不動。

他莫可奈何，半信半疑，僵著硬石頭般的身子，投射出殺氣騰騰的銳利眼神，盯視一切動靜，準備隨時應戰，而一動也不動。

可那雙如鷹似豹的眼神，又飄忽閃逝出緊繃的身軀裡，佈滿了脆弱易斷的神經，膽小如鼠，準備隨時拔腿逃命，而一動也不動。

然後，在這一動也不動，僵持不下的時空裡，阿光察覺到四周的氛圍，正悄悄地，波動起異能量。

這樣的時空變化，像似久處極至緊張、危險境地的反作用力的自然調整，必要反彈；像似海盜船，不論多麼刺激、驚險，當它盪到至高點時，自自然然的，就會往另一個方向，盪了過去。

因此，這人樹戰場的時空中，相對衝撞的力道，弱了；互飆的敵意，少了。時空氛圍，自自然然地，緩和下來。

阿光的心緒和身軀，也隨著時空轉化，漸漸地，鬆弛了下來；綠枝枒，鬆軟下來，鬆弛了對阿光的圍勦，鬆懈了對稚盈的防範。

阿光，小心翼翼的，放下戒備之心，一動也不動，等著。

綠枝枒，慢慢地靜止，靜止……

靜止成原來的樣子，放蕩著枝條，隨風微微搖擺。

阿光放鬆身子，一動也不動，等著。

他放下恐懼攻擊害怕焦慮報復逃命恐慌等有的沒的情緒和意圖，一動也不動，等著。

他的意念漩渦，不再劇烈翻攪，不再漩轉不已。然後，他機智靈巧地，動著眼珠子，滴溜溜的，看了又看，靜下心來，尋覓對的時間，去做對的事，去跳脫困頓時空。

他靜下心來，等待對的時間，去翻轉機運，去創造有利的新時空。

他有期待，有目的，但是，他一動也不動，等著——

等著。

突然，他轉身拔腿就跑；不用多說，稚盈也跟著，跑了起來。

旅人跑得遠遠的，離綠枝枒好遠好遠；遠得足以讓旅人十萬分確定，已逃離極度恐慌的困境，逃離死神窺伺的要命戰場，才敢停下腳步，回轉身軀，張著驚恐的眼瞳子，彎著身子，壓著肚子，狼狽至極地，喘得上氣不接下氣，然後，大大地，吐出一口飽藏陰晦的死亡恐懼，才鬆了一口氣，放下心來。

可是，阿光一跳脫險境，立刻上演，被驚嚇過後的戲碼，直嚷著：「見鬼了。」

「真是見鬼了。」

「荒謬！」

「怎麼會這樣！」

稚盈也驚魂未定，手撫胸口，連連搖頭，無法出聲回答他。

然後，阿光又心有餘悸的翻著手掌，轉著手臂，扭著身體，全身上上下下，前前後後，看了又看，瞧了又瞧，仔仔細細的，檢查又檢查，好確定綠枝枒的暗黑軍團，早已撤軍回防；好確定墨黑腫脹的手臂、手掌、手指，都已恢復成原來的樣子，才大大地，鬆了一口氣，才真正放下心來。

可一放下心來，他忍不住回頭望，望向大片大片生長的綠樹，忍不住，怒氣橫生，忍不住，咒罵了起來。

「可惡，耍陰招，偷襲人。」

「死要人命似的。」

稚盈也滿心疑惑，可她就怕稍停片刻，不知還會迸出什麼壞事，橫生枝節，阻擾了時空旅行，於是，急急地，催促阿光。

「走啦，別囉嗦！」

「別惹事，快走吧！」

「真是倒楣透頂，老讓我碰上這種衰事。」阿光惡聲惡狀，抱怨連連。

可他就從沒問過自己，「為什麼老是碰上厄運，老是碰上鳥事？」

他一邊回頭望，一邊忿忿不平，罵個不停，仍困在情緒中。

他老是這樣，停不下來。

停不下來！

「走啦！我們還得追上專員和以行。」

「呸——過份！」

好不容易的，阿光洩了恨，轉身向著濕潮的木棧道，快快追去。

*****

太鼓聲，咚咚咚，遠遠地，傳了過來。

「快！」

沒多久，稚盈和阿光就來到木棧道的盡頭。

可那盡頭，但見兩棵十人難以合抱的巨木，盤根錯綜、枝幹交錯，開張著翠綠華蓋，高聳入雲天，密密實實地，擋住了旅人的去路。

那盡頭，無路、無徑、也無屋。

「糟糕，現在該往哪兒去？」

「專員和以行呢？」

「不知道耶！」

「連說都沒說，就走得無影無蹤了。」

「真是的，哪有這種領路人。」

「這樣子，會害人迷路啊！」

旅人們，感受到一種身處境外之境的陌生感，還有，被丟了下來的無奈感。

焦慮，隨即竄升而起。

稚盈東看西瞧，四處找尋無望後，又急切的說著：「以行，到底去了哪兒？我們該往哪兒去？」

阿光看了看週遭，竟是巨木、濃蔭和會纏人的綠枝枒，就是沒有以行的蹤影。

「不見了！」

「怎麼會這樣呢？」

「以行真的不見了。」

他自言自語，嘟嘟囔囔個不停。

可這原本就存在的事實，經由他沒多加思考的自言自語，直直地，注入自己的耳朵，卻產生了不同的聲波力量。他在毫無心理防備下，耳裡聽入了自己那一串嘟嘟囔囔的聲音，聽進了「以行真的不見」的話語，剎時，引來一陣驚心，自己嚇到自己。然後，他在情緒的掌控下，感受到身體裡，有一股未曾有過的力量，像無法停止的涓涓流沙，從心底毫不停歇的流失而去。

流失而去！

「這流沙本來應該存在荒漠呀！」他感到強烈的荒漠孤寂感，茫然地，看著涓涓細沙的流失，一點辦法也沒有，一絲力量也使不出來。

他困惑地，看著流沙，猜測著，問著：「那是什麼？」

「它是什麼？」

破天荒似的，阿光竟然自我質疑著。

他挺有意識的，探問起自己，「這到底是怎麼一回事啊！」

「怎麼一回事呢？」

剎時，他察覺到毫不停歇的流沙潮波的細微變化了。

一下子，無比乾冽，難以呼吸。

一下子，無比濕潤，親切甜蜜。

一下子，像似冰寒之氣，撲身而來。

一下子，像似溫暖潮汐，湧現身前……

流沙潮波，有如漣漪遞傳，不斷幻化，攪住了阿光的心緒；讓他不知所措地，杵立在木棧道盡頭，面對著眼前的兩棵巨木，不知何去何從？

然後，恐慌尾隨而至。

然而，那盤根錯綜的巨木之根啊，竟然，在旅人的恐慌感染之下，緩緩地，動了起來。龐雜的巨木樹冠，因為枝條的搖晃，葉片摩娑，嗖嗖作響，發出擾人心神的聲音。然後，在一陣高頻率的刺耳聲下，從樹冠裡竄出落慌而逃的動物身影。

沒了專員的領路，沒了好友的蹤影，稚盈和阿光，面對這變異離奇的時空，眼露驚慌，弓起背脊，靠緊身子，嘟囔了起來。

「又來了？」

「啊，不會吧！」

「巨樹，動起來了。」稚盈發愣似地，看著那錯綜網根，伴隨著一連串的泥土崩裂聲、土石流滑落聲和一股嗆鼻的陰濕潮氣，從翻滾滑動的苔蘚泥地裡，緩緩隆起。

她愣在那兒，兩眼發直地，看著錯綜網根，緩緩隆起。

「快！」

「快穿過去。」

阿光叫醒稚盈。

於是，旅人東望西探，閃閃躲躲，企圖找出一條通道，向前奔去。

可是，出其不意的，大巨樹的枝條橫出，打得旅人胸口發疼，咬牙切齒，卻只能悶哼著揉揉痛處。或者，不時的，枝條由下往上彈起，狠狠的，彈打旅人的下巴，烙下血紅的印痕。

或者，高高隆起的網根，突然，延伸到旅人的腳跟前，絆倒他們。

稚盈撲趴於亂石濕泥苔蘚之地，哀叫著：「很痛耶！」

至於阿光呢？

他碰到這種鳥事，肯定痛罵不已！

「見鬼啦！」

「搞什麼鬼？」

「真是要命啊！」

「害人精。」

可是，罵歸罵，發洩了情緒，總得想想辦法因應，才能繼續走上時空旅程啊！

於是，稚盈和阿光，緊緊靠在一起，賊頭賊腦的比手畫腳，暗商如何閃躲、穿越兩棵巨樹的死纏爛打，尋覓脫身之計。

可是，兩棵巨樹也迅速調動枝條，包抄合堵膩在一塊兒密商策略的旅人。

說來遲，那時快，兩條高隆之根，紮起粗壯地基，外加無數枝條、樹葉，上上下下，聯手編織而成的大鳥巢，從高空覆蓋下來，頓時，成了堅不可破的地牢。

糟糕！

戰士被死死的罩在覆巢裡，困在地牢中，頹喪至極，跪倒在亂石苔癬濕泥地上。

「慘了！」

「我們被困住了。」

他們試圖折斷枝條，摘除葉片，掙脫圍剿。

可是，兩棵巨樹既然能設下陷阱，就有足夠的意識，整治旅人，有能力對付戰士。

他們屢試屢敗，陷入進退不得的困境了。

他們失去了好友的蹤跡，還深陷前行無路，後退無據的困境中，就像是被蜘蛛網黏上的小蟲子，逃不了，死路一條！

而那高高隆起的錯綜網根啊，並沒有因此而停了下來。

兩棵巨樹，仍然變呀變，不停的變化，生發出難以預知的怪異境遇。

「喔，不——」

阿光從覆巢的枝條縫隙裡，往外一瞧，更是瞠目結舌的趕不上那迅速幻化之根，毫不停歇地，變著把戲，辨識不出那條條巨木網根，將往哪兒去？

他們淪陷在暗影重重的覆巢中，陷落在不知該怎麼辨的地牢絕境裡。而且，萬萬想不到，就在彈指間，那高高隆起迅速幻化的錯綜網根啊，變成了錯綜高聳的重重板根牆了。

「喔，不——！」

「這根本就是天羅地網啊！」

「我的天，哪裡才是出路啊！」

「我們別想從這世界邊緣回家了。」

這時，錯綜高聳的重重板根牆，竟然還無限延伸，變成了不見天日的陰森迷宮，混淆著旅人的視聽，層層阻隔著戰士的前進旅程。

戰士們，恐慌至極，恍如兩顆無法動彈的小石子，困在巍峨的迷宮牆角下的陰影中的覆巢裡，恐怕就要這樣無聲無息的消融在陰影暗黑處，任誰再也看不到了。

即使，以行回頭尋來，也找不到友伴了。

沒人會來救啦！

*****

四周陰森寂靜，沒有蟬鳴鳥叫，沒有其他生靈的蹤影。

旅人在迷宮牆角下的陰影裡，偶而僅能聽到，從遙遠的高處，傳來微弱的幾乎難以確定的野風，穿梭在樹葉間，傳送出一陣陣的唏唆聲，讓他們如處絕境般的孤寂與無助。

哎，少了友伴，似乎害得旅人無力勇闖迷宮，無助的困處迷境啦！

哎，少了以行，他們似乎就得註定淪陷在錯綜阻隔的迷宮牆邊啦！

「現在，該怎麼辦？」稚盈迷茫的東張西望著，耳語般的問著。

「這都要怪以行啦！」阿光想都沒想，就抱怨了起來。

「說的也是，要走，也不吭一聲。」稚盈沒惡意的叨唸，卻難免流露出滿腹委屈樣。

「前不著村，後不著店，連個鬼影子都沒得問，這都要怪他，是他害我們陷入困境啦！」阿光毫不保留的怪罪以行。「現在，到底該怎麼辦呢？該如何是好呢？」

「我也不知道。」稚盈無力至極，萬般無助，又東張西望了起來。

可是，瞧來瞧去，只是錯綜迷宮。

無路可去。

可不能就此放棄啊！

不管如何，旅人只能勇往直前，一步步，直直走下去。即使，落得不知肖想什麼的肖想，總比自我放棄了，多了點氣數，總比自我決絕了，多了點機緣呀！

於是，稚盈抱持著微乎其微的希望，迷茫地，希冀起某種無法預想得知的奇蹟，大聲呼喚著，不見蹤影的友伴。

「以行——」

她憑藉著本能，不停的呼喚，傳送出求救的意念聲波。

「以行——」

剎時，阿光抱怨歸抱怨，怪罪歸怪罪，一聽到稚盈呼喚聲，也就自然而然的打從心底，呼喚著。

「以行——」

旅人不做多想，就是呼喚，呼喚友伴前來協助，前來救援。

*****

旅人千盼萬盼，盼著以行。

呼喚聲，底襯著深切的企盼，說唱著旅伴關係，存有著友誼質素的呼喚。

深切的企盼，隨著一聲聲呼喚，迴盪在板根迷宮中，輾轉傳送到黑暗密林中，釋放出無助的聲波能量，尋求友伴的協助。

於是，呼喚聲，有了信任，有了關懷，遙問起：「以行，你在哪兒？」

於是，呼喚聲，是思念，是懷想，是問候，召喚著記憶，敘說著故事，輾轉迴旋成一種和諧好聽的旋律，歌頌著友誼的美好，傳頌著友誼的力量。

而且，這求救的聲波力道，綿綿延延持續波動，穿越了旅人的心理時空，穿越了覆巢，穿越了地牢，穿越了迷宮，穿越了層層有形、無形的時空，鼓盪起聯動的意識力量，隱隱地，積累成整體能量的交互波動、醞釀、轉化和變異。

然後，那板根迷宮，也有了不同的意念、思維和動作啦！

錯綜高聳的迷宮板根，鬆動了；覆巢的編織枝條，鬆開了。

旅人的眼睛，晶亮了起來；時空戰士，又有了站立起來的力量了。

然後，兩棵巨木，竟然，撤去了覆巢，移動著根腳，走動了起來！

而不知不覺中，旅人也起死回生似的，鼓動起生命引擎的熱力，直挺挺的站立起來，全身帶勁的持續呼喚友伴。

不可思議的是，兩棵巨木還配合著旅人呼喚而出的美好旋律，舞動著根腳，踩跳著巨大怪異的舞步，搖擺著龐雜粗細的枝條，翻揚著片片綠葉，歡騰出分分合合的友誼之舞來了。

「奇妙呀！」

稚盈驚喜地看著，一棵巨木的樹幹和樹枝上，啵啵啵，長出一顆顆綠果子，然後，越長越大，越長越多；而另一棵巨樹，在枝葉間，啵啵啵，冒出了一個個花苞來了。

同時，太陽的密色光波，配合著綠精靈的舞姿，時而鼓動著周遭的氣流，時而跳躍在葉片枝條的縫隙間，時而穿梭巨木根腳和枝枒，投射到時空旅人的眼前，撫慰了焦慮迷離的旅人。

「以行——」，稚盈一聲聲呼喚著。

「以行——」，阿光持續地呼喚著。

樹精靈面對著旅人，低低垂下枝枒，邀舞。

阿光剎時一驚，隨即跳開，躲得遠遠的。

「來。」樹精靈發出低沉的聲音，邀約著旅人。

稚盈聞聲，剎時驚心，一股暖流穿透周身，流動了起來。然後，呆愣地看著眼前的龐然巨物，直感神祕難測。可那雙呆愣的眼神，又冷不防地，被眼前閃閃發亮的綠果子，激出了驚艷的眼神，無法離開綠珍珠的光彩。

「來。」樹精靈的樹冠上，盛開著紅紫藍橘帶著黃白蕊心的艷麗花朵，無比優雅地幻化著枝枒，伸出狀似戴上紗質長手套的條枝，邀約旅人。

「啥？」阿光反射出一種被咬過的提心吊膽，心底暗自咕噥著：「少來了，綠枝枒的伎倆罷了！」

這時，阿光不管樹精靈是如此的優雅，如此的彬彬有禮，溫柔又親切，可他一點也輕鬆不起來。

「來啊！」

「來？」阿光飄忽著眼神，發出充滿不確定的聲音，似乎說著：「我才不上當咧！」

「來吧！」樹精靈低垂枝枒，似乎就要撩起稚盈的手了。

「別去，稚盈！」阿光趕緊出聲示警。

「為什麼？」

「它在誘惑妳。」

而稚盈在樹精靈的一再邀約下，就想像起一種龐大朦朧的善意，讓她的心底盪漾起一股甜蜜的信任情誼來了。

這時，樹精靈輕輕的撒落一片片花雨，流瀉出盪人心弦的花香，然後，低沉的呼喚著，伸出了溫柔的邀約枝條：「來。」

「好啊！」稚盈下了決心，豁出去。

阿光驚出一臉無法置信的怒意。

稚盈不理不睬；她不理睬阿光善意的提醒，不在乎阿光多慮的示警，輕盈的踏出一小步，牽起樹精靈優雅的邀約枝條，跳起友誼之舞了。

*****

稚盈和樹精靈，在翩翩飛舞的花瓣間，手牽手，彼此揣摩著舞步，轉起圓圈圈；前前後後，左左右右、忽聚忽離、忽上忽下、忽擁忽轉中，有著小心翼翼的對待、合理的因應、新奇的發想、隨機的變通、放膽地挑戰和出奇不意的互動，屢屢創新了獨一無二的舞步。

這是一段充滿了新奇、歡樂和挑戰的旅程。

可他們一不小心，也會碰撞的烏青，擦破皮，踩到根腳，打得發疼。

「以行——」僵在一旁的阿光，在滿心狐疑、猶豫中，呼喚著友伴。

他自以為，只有不在現場的專員，才能改變眼前的一切荒謬，只有以行及時前來相救，才能解救深陷隱形危機中的稚盈。

可稚盈玩得開心不已！

她在這場與樹同舞的奇異旅程中，越跳越得心應手，越跳越樂，越跳越酣暢淋漓哩！

「以行——」

阿光更是在攪揉著擔憂、防禦、好奇、質疑、害怕和期待等多重心理時空中，殷殷呼喚著旅伴。

呼喚以行。

他以為稚盈在友誼之舞中，迷失了自己。

他害怕稚盈正在無知無覺的離自己而去了。

而稚盈呢？

實際上，她投注在友誼之舞，周旋在樹與人的心靈互動中，更把僵在一旁觀望，揣著複雜心緒，不知該如何是好，還殷殷呼喚友伴的阿光，看在眼裡，想在心底。

於是，出奇不意，她在一個懸空迴旋的舞姿後，順勢借力使力，一把牽起阿光的手，引他進入友誼之舞。

「來吧，阿光。」

阿光迫不得已，被拉入友誼之舞了。

「哎，你逼得我，沒了選擇呀！」他無奈的抱怨著。

他對此陌生、龐大、怪異的舞伴，一點也不敢馬虎大意，踩踏著比木頭還僵硬的舞步，跳起友誼之舞。樹精靈搖晃著盛開的花冠，踩著機械式的步伐。

不過，誰不是這樣呢？

無論如何，阿光帶著強烈的防禦心，不知所措的跳著；他掛著冰冷的假面具，亂無章法的踩踏著僵硬無比的友誼之舞。

然而，這友誼之舞，絕對不只是舞步的踩踏而已！

旅人和樹精靈，越踩越有意思，越跳越和諧。而且，旅人一旦真正的跨出友誼的互動舞步，走入友誼的真實互動情境裡，肯定會遇見意想不到的真實啦！

「哎呦，好痛。」

「對不起！是我，笨手笨腳啦！」

「沒事沒事！」跌了一大跤，撲趴於地的阿光，邊吐掉滿口髒泥，邊說著：

「再來一次。」

「咻——」

「噢！」

「我不是故意的。對不起！」

「沒關係。」

「嘿嘿嘿，來啊！」

「哇啊！我快要碰到藍天啦！」

「咻——」

「嚇死我了，下來下來。謝謝你！」

畢竟，這是一場由殷切呼喚友伴聲，牽引出樹精靈的友誼之舞；樹精靈的友誼之舞，牽引出時空戰士的跨界互動，而有了一段絕無僅有的奇異旅程。

阿光就在那一次次出奇不意的碰撞當下，在那毫無惡意的錯失裡頭，頗有興致的揣摩著樹精靈的舞步，試圖跳出和諧的互動關係，發想出輕盈的翻騰、旋轉……

可這樣說，也不正確啊！

因為，在友誼之舞的旅程中，不論是樹精靈或阿光，都得通過摸索、慌亂、怪誕、陌生、翻新和奇異的互動舞步後，才能跳出和諧的友誼之舞，不是嗎？

不論是誰，都得經歷著身體的接觸和行為的互動，思維的交流、激盪，情意的波動、傳送，才能摸索出生動的友誼關係，享受到友誼的情意啊！

有了真誠的關注，才會有真實地看見啊！

漸漸地，阿光融入了友誼之舞的奇妙氛圍中，沐浴在奇異的友誼恩典中，感受著奇蹟的療癒力，而有了不同的看見，跳出曼妙的自然之舞啦！

這真是一場如假包換的全新旅程啊！

而且，這旅程不全是奇異、美好、有趣、怪誕的不可思議而已！

它可還硬是紮紮實實的雜混著扎人的梗刺，窩藏著騙人的伎倆，留待著時空戰士那雙澄澈的心眼，去辨析，去看見，去學會玩樂和遊戲呀！

那是不可思議的生命之舞啊！

至於，說到看見啊——

在人樹的聯歡舞動中，旅人也驚喜地發現，在蜜色陽光下的密林中，有一條小徑；小徑上，漂浮著一顆顆細小晶瑩的水珠子，綿延入密林裡！

於是，旅人呼喚著、舞動著，全然的投注在友誼之舞中，等待著。

等待前進旅程的好時機。

「就現在囉，走吧！」

阿光和稚盈手牽手，配合著樹精靈的優雅舞姿，跳著和諧舞步，然後，欣喜地放開枝條，獨自迴旋著，迴旋著，而且，就在完成第三圈的迴旋時，轉進了有蜜色陽光、漂浮晶瑩水珠的小徑中。

「再見囉！」稚盈轉身，對著樹精靈揮了揮手，還說：「謝謝你！我玩得很開心喔！」

樹精靈也搖了搖枝條，揮動著片片綠葉，說：「再見囉！」

而且，就在旅人迴轉身子，前進時空旅程時，樹精靈的綠果子和樹冠上的花朵，一一枯萎掉落了。

04 詭異的搥丸遊戲

綠草地，草籽飛，草葉綠，草莖爬來爬去。
抹眼淚，擤鼻涕，握好槌棒，一起搥丸去。
綠草搥，棒滾地，槌丸笑，影子變身蹦跳。
天靈靈，地靈靈，沒你沒我，歡笑灑一地。

阿光和稚盈，洋溢著甜蜜的情誼，踩踏著舞步，進入密林小徑。

小徑彎彎延延，漂浮的晶瑩水珠，愈來愈稀少，最後，少得幾乎不見了；而密色陽光，也越來越淡，淡得幾乎不見了。

密林小徑，驟然陰暗了下來，空氣變得稀薄，讓人渾身不舒服。

稚盈邊走邊回頭，總覺得在某些個陰暗處，藏有鬼鬼祟祟的東西，窺視著旅人；有東西尾隨著旅人。

「毛毛的，不太對勁。」

「嗯！」

阿光全身緊繃，賊眼賊臉的警戒搜尋一番，才說：「快！前方有塊綠草地，我們去那兒。」

「草地上有人群。」

這時，稚盈意外的瞥見了以行的身影，隨即開心的大叫：「以行！」

她興奮的直奔陽光綠草地，大聲叫喊著：「以行——」

以行聞聲，急忙轉身，應了聲：「小心！」

可是，慢了！

還是，慢了。

阿光和稚盈，一踏上綠草地邊緣，剎那間，就被不知從何處橫出的木槌絆倒了！

阿光跌個狗吃屎，趴倒在莖粗梗硬的草地，磨擦出臉腮邊的一陣刺痛，還聞得到一股刺鼻臭青草味，咒罵一聲：「真是倒大楣。」

然後，他雙掌使力，要撐起上半身時，但見眼前趴著一隻長滿疣，醜陋無比的癩蝦蟆，鼓脹著大肚皮，正用兩顆圓凸的眼珠子，瞪視著自己。

「看什麼看，醜八怪！」阿光把滿心的怨氣，發洩在癩蝦蟆身上。

癩蝦蟆看了看不可理喻的阿光，蹦蹦蹦，跳開了幾步後，又回過頭來，斜睨著阿光，促狹的眼神，竟是嘲弄地說：「再這樣下去，等著瞧吧！」

「哼，誰怕誰？」

「蟑螂怕草鞋。」

「啊，詛咒人嗎？」

「瞧著吧！」癩蝦蟆邊說邊跳遠了。

同樣被木槌絆倒攔下的稚盈，痛得坐在綠草地上，戳揉著小腿骨。

以行手握木槌前來，並趁著伸手拉起稚盈時，小聲交代著：「這綠草地很古怪，別太大意。」

「你怎麼鼻青臉腫的？」稚盈顧不得自己的疼痛，倒是先關心起以行來了。

「是我自找的。不過，現在沒事了。」以行遙望起綠草地的盡頭，說著。

「自找的，怎麼說呢？」稚盈也遙望起，那天圓地方，天和地連成一線的盡頭，說著。

「我一打探到時空梭，確實在前方古堡時，就急得要跑過綠草地，直奔古堡。」

「哪裡不對了？」阿光滿頭霧水的問著：「真可惡，我們本來就是要來坐時空梭啊！」

「原先我也有同樣的想法，才搞得鼻青臉腫。」

「這綠草地，看起來再正常不過了。」

「嗯，我還搞不清楚狀況，不過，我倒是知道，假如我越急於想穿越這片綠草地，就越是過不了。」

「越急就越慢啊？」稚盈若有所思的邊觀察著地形，邊問：「除了這片綠草地，還有其它路徑嗎？」

「這綠草地上，至少有陽光，看得清前方有個小聚落。據說，過了小聚落，古堡就在不遠處，不至於迷失方向。」

「可是，走入密林，就像闖入迷宮，想找捷徑，可就沒那麼簡單。」

「嗯，說不定捷徑找不著，還迷了方向，多繞些冤枉路哩！」

「而且，密林裡硬是騷動著一股陰森之氣，讓人有一種背部涼涼的感覺。我總覺得密林裡，藏著古怪的東西，讓人感覺毛毛的。」

「密林，怎麼會呢？我和專員走過來時，好像沒什麼怪異，一切很平順呀！」

「那專員呢？」

「不知道。當時，走啊走，我一看到綠草地，就開心地撒開腿，跑了起來。

然後，跑了沒幾步，迴轉身子再看，他就不見了。」

「喔，你也跟丟了。」

剎時，以行愣愣地，閃過念頭：「我跟丟了嗎？」在模糊的意識裡，似乎有著不同的看見。

他似乎發現，專員的領路，若有似無，根本就像是空氣般的靜默存在；只要自己一失覺察，就會遺忘了他的存在，遺落了引領的依靠。

於是，他不自覺地，搖了搖頭，才說：「放心啦，這片陽光綠草地，應該是通達古堡的捷徑。」

*****

綠草地上，不論男孩或女孩，不論腰插彈弓或肩上斜掛竹槍，都人手一支木槌，片刻不離身，一點也不覺得累贅。

對旅人來說，帶著木槌玩搥球遊戲，是可以理解的。

但是，片刻不離身的，握著木槌聊天，走路，跑步，玩遊戲，那就是多餘，是無聊，是荒謬，是莫名其妙，是呆瓜。

可孩童們各個握著木槌趴趴走，到像是天經地義般的習以為常，像是截斷腿骨，裝上義肢的人，要站要走，就非得套上義肢不可，早已不想對不對，合不合理了。

這時，散處草地四處玩耍的孩童，不約而同地，向著旅人匯集過來，還天真浪漫的，邊走邊唱著歌謠。

綠草地，草籽飛，草葉綠，草莖爬來爬去。
抹眼淚，擤鼻涕，握好槌棒，一起搥丸去。
綠草搥，棒滾地，槌丸笑，影子變身蹦跳。
天靈靈，地靈靈，沒你沒我，歡笑灑一地。

朗朗上口的歌謠，帶著歡樂的童趣和明快的節奏，可不知為什麼，以行卻覺得天真浪漫的歌謠，藏匿著捉摸不定的飄忽陰影，讓人不得不搖了搖頭，驚嘆起歌謠是口述歷史中的大贏家。

「來，給你槌丸。」大個子男孩，遞給以行一顆硬到不行的樹瘤。

「朋友到齊了，就來玩一玩吧！」黃毛丫頭邊說邊遞出木槌給旅人。

一時還搞不清狀況的阿光和稚盈，握著木槌，看了看以行，沒說什麼。

「現在怎麼玩？」以行問。

「當然是『步打球』啦！」

「什麼？」

「就是邊走路邊搥丸，一路玩著到達草地的另一頭囉！」孩童邊說邊示範著。

阿光立即從以行手上取來樹瘤，糾著眉，看了看，整顆迴旋不規則肌紋的老樹瘤，悶悶的說：「既然人到齊了，就來鬥一鬥吧！」

然後，阿光就把老槌丸，往綠草地上，隨手一丟，帶上一點莫名的火氣，使勁的往綠草地的另一頭，搥了過去。

「鏘——」

猛不防的，老槌丸卻神使鬼差般，拐個大彎，轉往稚盈這端，迅速飛過來；她驚惶失措，側身閃過，萬分僥倖的，避過了老樹瘤的突襲。

「碰——」老槌丸落地，滾過草地，停在密林邊緣了。

好個大意外啊！

阿光一時反應不過來，半驚半疑，呆問著：「怎麼會這樣？」

「這東西，會作怪。」以行驚訝地想著。

至於稚盈呢？

她驚慌地，佼倖逃過老槌丸的突襲之險；狼狽地，打腳後退三兩步，還未能止住腳步，抓回重心。

可那也就算了。

她萬萬想不到，竟然，接著一個踉蹌，一腳踩空，剎時失去重心，倒栽蔥似的跌進大窪洞裡。

*****

綠草地，糾結蔓生著硬梗長草和粗莖短梗草，看來堅實茂盛。要不是就近細看，不論是誰，都難以料想到這片綠草地，竟然藏匿著，如此一個大窪洞，害的稚盈百般突兀，萬般意外地，掉進大窪洞裡。

這下子，原本綠意盎然，充滿生機的陽光綠草地，剎時讓人有一種直覺的驚嚇，不得不狐疑起來，它還暗藏著哪些詭計和玄機呢？

而這番突如其來的遭遇，更是讓稚盈驚嚇不已，本能的揮動手臂，瘋狂的抓握一拳又一拳的空氣。

可是，一切徒勞無功。

她仍在天旋地轉的墜落中，持續墜落。

她的身體，失去了重力感，有如羽毛般的輕盈，墜落。然後，墜落中的身體，傳送出強烈的訊息，迅速地，轉化著她的意識，讓她有了某種不曾有過的洞見。然後，輕盈地，著落窪洞底。

她環視了一下，發現這個大窪洞，不僅有薊草、蔓陀蘿花，似乎還別有洞天。而她也擁有了某種清晰的遇見，似乎看見了什麼？

不期然地，她聽到了來自陰暗處的黑影，叫喚著：「稚盈，你來啦！」那聲音，聽起來很飽滿，就像聲音本該有的樣子；而且，聽起來挺熟悉，像似在哪兒聽過。

「誰？你是誰？」

沒有人回答。

可那聲音又說：「這個給你。」

「為什麼要給我？」

「你要來的。」

「是什麼？」她感覺到手中多了一個冰冰冷冷的小東西。

她低頭一看，喃喃地問：「小石子嗎？」

「是小石子，也是小種籽；它是一個訊息。」

「要做什麼？」

「要一直告訴自己，未來是自己選擇來的。」

那麼，稚盈的這番遭遇，到底是福、抑是禍？

一時之間，還真難以言說。

*****

一群人圍在大窪洞口，探頭探腦，擋去了太陽光，投下忽長忽短、重重疊疊的影子，讓大窪洞更加陰暗了。

「稚盈——」阿光在大窪洞口，焦急的呼叫著。

「稚盈，你還好嗎？」以行呼喊著。

稚盈抬起頭來，看向暗影重重的窪洞口，回了一聲：「沒事，我沒事啦！」

可當她再低頭環視大窪洞時，黑影已不見了。

她的腦海，不期然的，閃過了像似銀髮老嫗般的模糊影像，難以置信地，搖了搖頭。這時，她似乎連上了地氣，靈敏地感受到大窪洞，變得異常濕潮了。於是，她把冰冷的小石子，擺進貼胸的口袋裡，雙手抓握粗壯的草莖，一陣拉拉扯扯，好確定草莖無疑是夠穩夠牢後，才手腳並用，攀爬上來。

粗硬的草莖和薊草、蔓陀蘿葉的棘刺，毫不客氣的割劃著稚盈的手心和手背，滲出點點紅血，可是，她毫不在意的思量著：「那黑影是誰？」

稚盈不清楚，也無從再問起。

可她就是非常在意。

她無法停止，在腦袋中，一遍遍的問著：「是誰？」

然後，又胡亂猜測、想像、編織著。

「她是誰？」

「祂是大地之母嗎？」

「我還會遇見她嗎？」

無論如何，這陌生卻又有著某種親切感的遇見後，對稚盈來說，一切是那麼的清晰與真實，卻又是荒誕不已，難以置信。

無論如何，她無法相信，這一片青青綠草地，竟藏有這樣的一個大窪洞，害她難以預期的跌了一大跤，而且，在那不可思議的跌落中，遇見了難以思議的黑影。

稚盈拼命用力地思索著。

可一切事物，似乎胡亂蹦跳，糊了。

一切的存在樣態，亂了套，失了譜，沒條沒理，無從預料，難以掌握。

此時此刻，她出了大窪洞，看見綠草地，就看不見大窪洞；在大窪洞時，看見了黑影，就看不見綠草地；綠草地、大窪洞、黑影之間的關係，根本就是有你，就沒有我；有我，就沒有你；根本就是彼此分離的存在。

「稚盈，有沒有怎樣？」以行趴在大窪洞口，極為關心的問著，並且，伸出手來，拉她一把，助她一臂之力。

稚盈灰頭土臉，亂髮上掛著幾枝枯草，好不容易的探出窪洞口，看一看周遭，心不由衷的應著，「沒怎樣。」

阿光默默地，攙扶著她，爬出大窪洞，坐到綠草地上，壓壓驚。

可她仍失魂落魄的，跌落在大窪洞裡的奇異遇見，跌落在自我思維的時空中，呆愣地說：「綠草地大窪洞，大窪洞綠草地。」

阿光看著頹坐綠草地，灰頭土臉的稚盈，似乎跌壞了腦袋，突然感到全身一陣燒熱，滿心愧疚地，說不出話來。然後，轉身跑開，去揀老樹瘤了。

其實啊，就在稚盈的跌落間，似乎有那麼一恍神就消逝的剎那，有那麼一眨眼就飄離的頃刻間，她同時看見了綠草地和大窪洞。

沒錯，她曾在剎那間，看見了，意識和物質的同時存在；看見了，綠草地和大窪洞的同時存在；遇見了，不曾認識，或者，早已遺忘的那個自己。

*****

很快地，阿光撿回老槌丸；使勁地，把它丟向綠草地，產生了微細到難以察覺的地波震動，像似綠草地的忍痛顫抖，又像似老槌丸氣呼呼，噴著氣，又像似某種自然生靈交互感應，聯動而出的波動氣息。

然後，他站在老槌丸旁，煞有其事地，晃動著身軀，調整出他認為最佳的掄打姿態後，溜了溜，精光四射的眼珠子，瞧了瞧，圍觀的孩童們。

可就在阿光一溜一瞧下，看出個個孩童們，竟是擺出一副輕鬆看好戲的樣子，不自覺地，心中就有了看不見的魅影。

霎時，一陣嫌惡感，油然而生。

「明明是瞧不起人嘛！」

他莫名其妙地，竄出火苗，怒氣跟著冒了出來。

「假惺惺。」他咬牙切齒，低聲暗罵。然後，緊握木槌，揮了又揮，晃了又晃，還扭了扭腰身，做足暖身運動後，對準老槌丸，使盡臂力，狠狠的搥打下去。

「鏘——」一聲，老槌丸隨即彈跳而起，向著草地的另一頭飛射而去。

可是，一眨眼，那老槌丸似乎有了自己的想法，堅持要走自己的球路，又自動轉個彎，「碰」一聲，毫不客氣的搥到了準備接球的以行。它的球路，似乎說著：「小子，你可得放尊重點。」

然後，老槌丸大力彈跳數下，滾進密林裡了。

「痛喲！」以行皺起眉頭，悶叫數聲，抱起痛腳，狼狽的單腳跳著、轉著圈子。

而阿光呢？

他就這樣不知不覺地，涉入了老槌丸的笨蛋遊戲啦！

他丟下木槌，正要跑向以行，連聲道歉，說對不起！

可他一丟下木槌，又被不知從何橫出的木槌絆倒，外加一記棒擊多肉屁股。

「痛啊！」阿光又狗吃屎的趴跌綠草地上，咬著牙，忍著痛，想著：「為什麼？」

為什麼一定要握木槌？

「荒謬！」

「瘋癲！」

可旅人再難以理解，難以消受綠草地的潛規則，一旦踏上綠草地，就被綠草地長期存在的規矩，給盯上了！

再多的怨恨，再烈的怒氣，於事無補。

旅人一旦進入綠草地，就被某種不言自明的要求，給盯上了！

更糟糕的是，旅人稍有違背，立刻制裁；稍有不從，巨大黑手就無情無私地，就地執刑。

「莫名其妙。」

「這算什麼鬼傳統啊！」

「死要人命似的！」

旅人備感壓力，嘮叨不已！

可綠草地，就是綠草地。

這兒，不是那兒；這兒，不是噗突抱竹鎮，不是家裡，不是姨婆的早餐店，不是熟悉的任何時空，就不能依照過往記憶，來期待；不能依戀過去習性，來看待；不能執著舊有價值體系，說對道錯，談黑論白。

然後，以行不禁想到，這陽光綠草地，倒有幾分像似草莽文化中的亂石私刑，有時，真會盲目地掐住人的脖子，賭上人的項上頭顱，沒得說情，沒能論理，難以遁逃。於是，他對阿光搖了搖頭，小聲提醒：「別衝動，不能亂來。」

阿光滿臉通紅，鼓著腮幫子，仍暗自嘮叨著：「倒楣到家！」然後，他百般無奈地，伸手抓握木槌，再借著它撐起仍悶燒怒氣的沉重身軀後，直接轉進密林裡，揀槌丸。

「這綠草地，真邪門。」稚盈對著以行咬耳朵。

「他們輕輕鬆鬆的搥槌丸，一切沒事。可我們怎麼屢戰屢敗，一直吃鱉。」

這其中暗藏什麼玄機呢？

旅人困惑不已！

「時空梭，明明近在綠草地的那一頭，可這時空旅程，怎麼如此詭譎難測，暗影重重？」

「可不是嗎？當我探聽到古堡方向，興奮的奔跑起來時，腳才一跨上綠草地，不但挨了木槌的悶虧，更是挨著彈弓和竹槍的連番攻擊。可是，我就是看不到，誰出了手？想不清，誰突襲了我？倒像是，我在自找苦吃。」

「你這一身的烏青，確實狼狽。」

「可是，當我接過他們遞過來的木槌，心想著，還得等你們時，一切又像似沒事了。」

稚盈的腦海裡，閃過了抱怨的念頭：「本來，你就該等等我們啊！」

可她的嘴裡，卻說著：「現在，該怎麼辦？」

她擔憂地望向密林，搜尋阿光的身影時，發現不知道從什麼時候開始，像似迷霧般的濕氣，已鎖上密林小徑，籠罩著密林囉！

*****

這會兒，等在一旁的孩童們，一點都不理會旅人，又童真的自顧自玩耍去了！然後，他們又一派天真的朗聲合唱著朗朗上口的歌謠。

綠草地，草籽飛，草葉綠，草莖爬來爬去。
抹眼淚，擤鼻涕，握好槌棒，一起搥丸去。
綠草搥，棒滾地，槌丸笑，影子變身蹦跳。
天靈靈，地靈靈，沒你沒我，歡笑灑一地。

以行站在太陽底下，看著孩童們、聽著歌兒，隨手耍起槌棒來。他邊耍花棒，邊想著該怎麼辦？

槌棒在空中，轉啊轉，棒影子，在空中，也在草地上，轉啊轉。

他看著花棒影，忽東忽西，忽長忽短，忽隱忽現，他耍得特快，花棒影變換的也特快。當他的手裡，緩緩地，耍著木槌；一雙肉眼裡，看到的也是一根硬梆梆、扎扎實實的棒子；腦裡想著，也是硬梆梆、扎扎實實的木槌。

可是，當他越耍越快，他的一雙肉眼裡，卻看到木槌，在持續不斷的重複動作中，產生了強大的動能，玩起偽裝，變了把戲，化成一根根虛幻的花棒，連成一片剎那幻現，剎那消逝的花棒影了。

突然，他萬分驚訝地大叫而出：「不見了！」

「真的不見了。」

「你在說什麼呀？！」

「木槌不見了。」

他真真切切地，看見能槌樹瘤，會攻擊人的木棒，終究，成了一片幻影。

而且，他看見木槌時，看不見幻影；看見幻影時，看不見木槌。

無論如何，他也看見了，握在手裡的木槌，不論是多麼堅實，終究，淪為一片幻象；他的一雙肉眼裡，看見，握在手裡的物質，不論是多麼具體，終究，淪為一片乍現的幻影，化成一片流動的能量而已！

剎時，他對於影子，有了不同的看見；對於物質世界，有了更深刻的理解啦！

於是，他的嘴裡，雖然直白的說：「木槌不見了。」可他卻有了不同的理解，有了不同的體悟啦！

「哈，花棒會偽裝，愛玩把戲。」以行無比輕鬆，頑皮地說。

可這話聽在稚盈的耳裡，卻波動著些許的無厘頭與白目。她帶點煩悶的情緒，粗聲粗氣，質問著：「什麼跟什麼？」

「妳看喔，這根硬梆梆的木槌，就在我轉呀轉，持續不變的重複動作中，化成了花棒幻影。」

稍加點化，稚盈的眼裡，閃現一抹聰慧領悟之光，頻頻點頭說：「嗯，確實如此。」然後，認真地，稚盈盯看著眼前越轉越快的花棒幻影，不知不覺地，憶起了跌落大窪洞的驚慌與困惑感，就說：「這綠草地，也會偽裝，愛玩把戲。」

「嗯，這綠草地，應該不只是我們的肉眼所見的綠草地。」以行歪著頭，思考了一會兒，又說：「難道，這綠草地，硬是要人步打球，玩遊戲。」

「怎麼說呢？」

「你看，在這陽光綠草地上玩遊戲，你來我往，身旁總是少不了影子。」

「嗯，這個我懂，如影隨形嘛！」

「黑影子忽大忽小，來去匆匆，重疊交錯，幻化不定，我在想……」

「你在想什麼？」

不知不覺地，稚盈急切了起來。

突然，以行舉高槌棒，單膝落地，氣勢昂揚的往綠草地上，直直插下。

立棒見影。

他無比堅決，執意地說：「遊戲吧！」

「遊戲？」

「記得嗎？關世英曾經說過，時空旅行是場時空戲。」

「記得啊！可是，什麼是時空戲呢？」

以行看著正在玩耍的孩童及移動的影子，慢慢說著：「在時空中，遊戲吧！」

「啊？！」

「我們每一次的揮棒搥丸，都會不一樣，都會有不一樣的時空。」

「嗯。」

「每一次的搥丸時空，總會存有獨一無二的情境，要我們去適應；每一場遊戲時空，總會藏有幻化不定的東西，等著我們去發現，去超越吧！」

在說話聊天中，以行活絡了思維；在話語的聲波傳送中，他有了更清晰的看見，展現了思考的芒光，又說：「時空戲，就是要人看見。」

「看見什麼？」

「看見眼睛看不見的東西。」

「哦～」稚盈歪著腦袋，虛應一聲，挺有興致的思索著。

「不過，先別管這些了；好好的搥丸，好好的玩它一場遊戲吧！」

「好啊，『步打球』，邊走邊打球，推著樹瘤前進。」

「像推小白球進洞那樣，放鬆心情。」

「試試看囉！」

於是，大個子、以行、稚盈、黃毛丫頭等一群孩童，在綠草地上，你搥給我，我搥給他，不時傳出或大或小的笑聲，哈哈哈、嘻嘻嘻。

一根根粗細新舊的木槌，碰撞攔截著樹瘤，不時傳出或清脆、或悶滯、或擦棒而過的打擊聲，鏘鏘鏘、咚咚咚、嘶嘶嘶，偶而穿插出咻——的聲音。

樹瘤在木槌間，滑、溜、躲、閃，跳、飛、彈、滾，活力四射的身影，靈動在太陽下、微風中、草地上。

孩童、木槌和樹瘤，都盡興的在陽光草地上，玩遊戲。

那麼，黑影子呢？

黑影子啊，跟緊孩童，來來去去，忽大忽小，忽胖忽瘦，還和陽光玩著追逐、躲藏的遊戲；它還和綠草地，玩起瞬間貼合、變幻身影的把戲哩！

所有物質，都是能量的聚合，變換，幻化，消解過程而已！

黑影子，只是能量的幻化、聚合現象罷了！

「真是開心，有意思。」

「好一場時空戲啊！」

稚盈、以行和孩童們，在綠草地上，忽東忽西忽南忽北的跑動、搥丸、流汗、歡笑、聊天，忘了捷徑，忘了古堡，只是玩著綠草地上的搥丸遊戲。

一切只是歷程。

只是遊戲。

*****

阿光離開綠草地，來到蓊鬱的密林邊，聽聞到轟隆轟隆的怒吼聲，像浪濤，似松濤，直灌耳膜，讓他有了些許困惑和膽怯。可是，一入密林，轟隆轟隆的怒吼聲，頓時被吞沒了。

高聳的林木枝葉，遮蔽掉陽光，陽光也不見了。

野風在陰森幽暗的密林中，穿梭撒野，鬼吼鬼叫不成調。

密林裡，長著許多不知名的怪樹。有的歪橫斜躺著樹幹，還在老枝幹上擠滿樹瘤；有的樹幹張著猙獰怪怖的臉；有的樹幹流淌紅色汁液，滴滴哆哆滴落地，滋養著地上一大片色彩斑爛的蕈菇欉。

阿光東張西望的找著老槌丸，還不時以咒罵聲，來為自己壯膽。

「死槌丸，滾到那兒去了？」

「別躲了，快給我現身出來。」

然而，這一切似乎還不夠糟的樣子。漸漸地，密林內漫起一股令人窒息的沼氣，讓阿光難過地直想逃離密林。

這時，他的腦袋裡，有喋喋不休的聲音。

「樹瘤多的是，隨便拿一顆就行了。」

「我偏要那顆死槌丸。」

「我要揪它出來。」

「嘿，沒人要你撿啊！你這是何苦呢？」

「你管我，我偏要。」

「可別像魯蛇，死纏不放。」

「囉嗦！」

還好，老槌丸滾得並不遠，它正停靠在一株帶刺的仙人掌旁。阿光轉了幾圈，就發現了那顆烏亮又有許多搥痕的老槌丸，終於鬆了一口氣。

然而，就在他低身彎腰要撿起老槌丸時，驚覺到周遭漫起陰寒之氣，聞得到腥臭味，聽得到微細的嘶嘶聲。

頓時，他全身一凜，迅速抽回手臂，僵硬的緊握木槌，眼珠子機警地轉啊轉的，然後，大叫一聲：「我的媽呀！」

一條巨蛇，靜候在仙人掌旁，看守著那顆烏亮老槌丸，蛇尾沙沙作響。

阿光睜圓眼珠，直盯蛇頭，高舉木槌，渾身顫抖。

巨蛇昂起蛇頭，張開紅外線視力，掃描周遭；敏銳的嗅覺，進行化學氣味的偵測；然後，抬起身體，伸展雙腮的皺褶皮翼，張開巨嘴成一百八十度，清清楚楚地，顯露出四排向內彎鉤的尖銳牙齒，嘶嘶吐信，示威著。

「慘了，這下子準沒命。」

阿光的心頭，籠罩著恐怖陰影。

他動彈不得。

巨蛇，靜靜地偵測著，虛張聲勢著。

阿光的意念，激烈的波動出恐懼情緒。

恐懼，迅速竄升到阿光的每一個細胞；他不由自主地，開始胡亂臆測。

他把自己的感覺，聯結到巨蛇身上了。

他感受到巨蛇正在啟動超長身軀的傳動軸；瞬間，阿光陷入極度恐慌中。

他幻想著巨蛇啟動了傳動軸，強勁有力的肌肉條，無聲無息的往後推動、往後推動著。

他有了極致荒謬的發現；他發現，巨蛇長長的身體，緩緩地，正向前移動、向前移動著；向著一動也不動的自己，無聲無息的爬了過來。然後，巨蛇昂起蛇頭，抬起身軀，冷冷地算計著，何時可以迅速一撲，撲向自己。牠正精準的打量著，何時張開巨大嘴巴，一口死死的咬下，並將內彎的利牙，在極具關鍵時刻的剎那，嵌入自己的肌肉裡，然後，一吋吋地把自己拉往喉頭、送進長長的身軀裡。

阿光陷入極度恐懼中，幻想著自己的腳，被吞進了巨蛇長長的身軀裡，怎麼逃也逃不了。而巨蛇正拿捏著發動纏捲功的最佳時機，然後，要給阿光來個致命一擊……立即斃命！

阿光的心臟，極速跳動，快要跳出口來了。

他的腎上腺激射分泌，意念波翻騰了起來。然後，靈光一閃：「蛇頭七吋，致命一擊！」

本能地，他揮動手中的木槌，以迅雷不及掩耳的速度，一棒就要直往蛇頭七吋處，揮打下去……

棒隨念下，致命一擊……

可萬萬沒想到，就在阿光舉起木槌，直往蛇頭七吋處，將落未落時，……

突然，「啪噠！」一聲，在空中響起。

一陣麻痛，竄進阿光的腦門；他挨了蛇尾的猛力突擊，一陣暈眩，差點昏倒在地。

「小子，你得放尊重點，可別亂來！」巨蛇嘶嘶說著話。

阿光嚇得踉蹌，屁股尿流，癱坐於地；然後，眼盯巨蛇，屁股退移兩三尺後，

連滾帶爬，步步艱辛，萬般狼狽，才險幸地逃出密林，全身軟綿綿，跌坐在密林外的陽光綠草地旁。

他心猶餘悸，猛壓住怦怦狂跳的心口，呆坐了好一會兒，才有氣無力的爬上綠草地，回到以行和稚盈身邊，加入搥丸遊戲的行列。

然而，不知道為什麼，他的心底著實害怕著；隱隱中，他像似從深沈的夢境醒來，充滿疑惑不解的，看著自己的夢境，而驚懼著夢中那個人；那個不得而知，難以想像的人。

他恐懼著落單的自己。

*****

「阿光，回來啦！」

「撿到槌丸了嗎？」

「沒有，樹瘤多的是。」阿光沒好氣的應著。

「以行，接住囉！」斜背著竹槍的黃毛丫頭叫著。

以行輕碰槌丸，擋下它。然後，側轉身軀，搥給稚盈。

「為什麼？」

「沒什麼。」阿光避重就輕的答著。

「沒什麼？」以行不明究裡。

「嘿，阿光、以行，你們到底要不要玩？」大個子催著。

「玩啦，當然玩啊！」一時之間，阿光難以擺脫心底的莫名恐懼；可他又假裝沒事，故作鎮定樣，吼叫著。

他搥了一球後，又在心裡牽拖、暗罵大個子：「哼，你設計陷害我。」

可是，真的是這樣嗎？

阿光不曾想過。

但是，他心底的暗影，卻無聲無息地，隨著這場綠草地的搥丸遊戲，隨著巨蛇的出現，漸漸地，擴張顯影了出來。而且，那暗影，就像往西漸行的太陽，把那投射緩移的暗影子，在綠草地上越拉越長。

無聲無息的，越拉越長了。

*****

霞光映紅天邊。

孩童們，心滿意足地，玩了一場搥丸遊戲。

戰士們，終於踏出綠草地。

「這兒，該是終點啦！」以行說。

「玩得真開心。」大個子說。

「謝謝大家囉！」黃毛丫頭也說。

「再見！」

大個子帶著孩童們，逍遙自在地，又朗聲合唱著歌謠，向著小聚落的方向，離去。

綠草地，草籽飛，草葉綠，草莖爬來爬去。
抹眼淚，擤鼻涕，握好槌棒，一起搥丸去。
綠草搥，棒滾地，槌丸笑，影子變身蹦跳。
天靈靈，地靈靈，沒你沒我，歡笑灑一地。

旅人們，滿心愉悅地，聆聽著歌謠；默默的，凝視著他們，走進橘黃的落日餘暉，一圈金光鑲在孩童的四周。

「這搥丸遊戲，挺有趣。」

「蠻特別的經驗。」

以行轉著手中的樹瘤，聽著童真的歌聲越來越遠，察覺到那本來沒什麼特別的歌謠中，似乎藏有一股俏皮活潑的力量，牽引著自己，向著童真的初心，行去，感覺某一部分的自己，變得越來越小，越來越有童心了。

然後，旅人們靜靜地，遙望著孩童，進入最後幾抹落日餘暉，消失在四合的暮色中。

05

放逐古墨海

「我是創造之神。」……

她，毫不猶豫地，揮甩腿法，畫字創字。

她，臨著古墨海，瞬間，造字成形，瞬間，

無象無形，揭示智慧。

一切就這樣。

午後，烈陽高掛空中，旅人走在硜硜作響的碎石子路上，腳底挺燒燙，感覺像在過火驅邪。於是，旅人踮起腳尖，蹦跳著前進；引頸眺望，期待能夠快快地，走到碎石子路的盡頭。

「前頭有噴泉耶！」

「那兒該是終點吧！」

「未必吧！」

「怎麼說呢？」

「你看喔，穿越霧茫茫的水霧時空，似乎還有不同的時空呀！」

「嗯，應該還有路。」

「耶，還真能窺出不同時空哩！」

旅人邊走邊聊。而且，當霧氣淋上頭臉時，頓覺身心舒暢，精神振奮，步子輕盈的朝向噴泉時空，邁進。

噴泉時空的午后烈陽，自高空淋灑而下；冷冽泉水，從池底噴湧而上，光波水波，自然交會出炫爛無比，躍動蹦跳的波光幻影，造就出暖和熱流與冰寒冷流，活潑互動的歧異時空；水波光波，上上下下，無比激烈交互作用，幻現出一座富麗堂皇的彩虹大霧宮。

旅人驚喜的加快腳步，向前行去。

可是，噴泉時空，霧氣朦朧。旅人走不了幾步路，不得不，在離彩虹大霧宮十來呎之遙處，帶著某種難以想像的小心翼翼，向著霧宮裡頭瞧了瞧，又困惑的聊了起來。

「那水霧中，是不是坐著一位老翁？」

「好像是耶！」

「可是，他到底是石雕像，還是白頭白鬚翁？」阿光邊抹去睫毛上沾掛的水霧，邊睜突著眼珠子問。

「他一動也不動，在垂釣吧！」

「池中有魚？」

「或許是吧！」

「或許，他只是坐在那兒。」

然後，旅人帶著好奇的探究心，趨前數呎後，瞧出霧宮中的老翁，白髮白鬚，全身上上下下，綴著一顆顆晶瑩水珠，活像似彩虹霧宮中，一尊栩栩如生的石雕像；又像似彩虹霧宮中，濕重的霧氣，創意化結，成為霧氣中的白髮白鬚翁。可就在這時，旅人似乎感受到一股無名的牽引力，要他們別躊躇，別停駐，快快地向前行。

然後，旅人趨近一瞧，噴水池周遭，有木頭和樹皮架設出來的簡易攤位，翻滾在地的破敗果實和殘破老梗的葉菜。還有，兩三輛手推車，倚立在樹幹和攤位旁。

「這魚頭噴水池，還是泥地小徑和落葉荒徑的起點哩！」

「你看，通往林子的泥地小徑，留有人類和牲畜的凌亂足跡。」

「這附近，有人家。」

「當然有人家，要不然，哪要市集呢？」

落葉荒徑，傳來猴群的戲耍叫聲。聽起來，像似旅人現蹤，猴群們才匆匆掃蕩市集，驚慌失措地，退回林子深處，好奇地爭辯著，該不該再回頭撿拾翻滾的水果哩！

「這市集不大。」

「嗯，不見人影的小市集。」

「池邊的老翁，不就是人啊！」

「大半天沒喝水，正渴著哩！」

於是，旅人大步踏入霧宮，水珠霧氣淋灑的頭臉一身，晶晶亮亮，滌淨所有凡塵和躁氣，不知不覺中，心靈被轉化了，步調慢了下來。以行看著白髮白鬚翁，獨坐池邊，就挺有禮貌地，趨前問安，一探虛實。

「老伯您好？」

「好在哪裡？」

「啊！」

一時之間，以行無言以對。

然後，旅人無可避免地，受到白髮白鬚翁的話語聲波的刺激，心靈意識活潑了，思維框架擴展了，話語也鮮活了起來。

「好在可以行個便啊！」阿光俏皮地說。

「好在我們來看您啦！」稚盈帶點兒向老爺爺撒嬌的語氣說。

「看我幹什麼啊？」

「行個便，問個路啊！」

「那就問吧！」

「這裡離時空堡，還有多遠？」

老翁慢悠悠地走出霧宮，轉身看向留有凌亂足跡的小徑，舉起拐杖，瞇起老眼目測，凌空點了點，說：「不遠，過了廣場，過了桃源村落，再往前去，便是啦！」他說這話的神情，就像人們在說，過了紅綠燈，過了便利商店，再往前去，便是捷運站，便是火車站一樣。

「往前去，還有多遠？」

「往前去——」

旅人等他接話，可他瞇著老眼，呆呆望向極為遙遠的遠方，思索了很久很久，直讓旅人擔心，他在這烈陽下，多站些時候，說不準就會中暑，暈了過去，或者，就會被蒸發掉了。

然後，旅人的心緒，正待要放棄等待時，老翁若有似無，輕輕地嚅動嘴唇，沒頭沒尾地，說：「近了！」

「近了，就好。」

於是，旅人道過謝，迫不及待的轉回彩虹大霧宮，把頭探進池子裡，浸一浸直冒汗的熱燙腦袋。

「嗯，清爽多了。」

阿光像極小狗般，左右甩了甩濕漉漉的頭，然後，驚訝的說：「白髮白鬚翁不見了。」

稚盈看著濕淋淋的以行，也驚訝的嚷著：「咦，你那滿臉的烏青紅腫，也不見了！」

「真的不見了？」

「不見了。」

以行杵立池邊，東張西望，遍尋不著白髮白鬚翁，又輕飄飄似的說著：「真的不見了。專員也是這樣子，一失覺察，就不見了。」

「來了，又去了。這樣子，很難捉摸，很難預測。」稚盈說。

「你不也是這樣？」阿光的話，突如其來，不輕不重，刺了稚盈一下。

「我哪有？」

「你哪沒有！」

「哎，別爭了，說不準，本來就是這樣。」以行的聲音中，藏有著一絲絲無奈的抗拒，又像似放不下的質疑，而茫然的難以適從。

「說不準什麼？」阿光輕鬆地問。

「來了，又去了；去了，又來了……」以行掉在內在衝突裡，有點心不在焉似地，回答問題。

他努力地，攀越著自我恐慌意念，所鼓動而出的思維波潮，不自覺地，邊搖了搖頭，邊嘟囔著：「來了，又去；去了，又來……」

「然後呢？」稚盈也問。

然後，他沒了常情，失了理性，罔顧一切，激動地，脫口而出：「哎呀！不管啦！」

「不管什麼？」阿光逼問而來。

以行愣了一下下，眼裡閃現異樣光彩，像似鼓足勇氣，下了大決心，然後，像脫韁野馬般，脫口暴衝出話來。

「意念投射而已！」

「你說什麼？」稚盈睜大眼睛，追問了起來。

「意念投射出來的影像罷了！」

「什麼？」阿光和稚盈，不約而同，萬分訝異追問著。

「專員只是意念投射出來的立體影像而已！」

「啊——」

「怎麼可能？」

「你瘋啦！」

稚盈和阿光的嘴裡，嗆得有力，然而，一時之間，他們的心裡，也起了莫名的慌亂，不知該如何是好。

至於，以行呢？

他驚天動地似地，說出了清晰的看見，卻又不敢置信的，驚嚇了自己，也驚慌了友伴。於是，他心神慌亂，猛力搖了搖頭，不再吭聲。

不敢多說。

然後，他在餘波盪漾的煩雜心緒裡，暗暗質疑，默默思索著。

「專員真的是我的意念，投射出來的立體影像嗎？」

「難道，我的擔心恐懼，幻想出領路人，好讓自己覺得安心？」

「難道，念力讓一切無中生有？」

以行想到這兒，就挺刻意地，管住自己的嘴巴，不再多說話，避免又暴衝出，嚇人也嚇自己的話。因為，他懼怕太空轉運站的魅影狂，還屍回魂，慌了自己，嚇了友伴，徒增無謂的煩惱，而不敢再出聲。

他怕自己瘋了；或者，怕被人當成瘋子。

他真的擔心，被當成瘋子。

於是，他在自我折騰中，懷疑著；在自我警醒中，沉默著。

可沒多久，莫名慌亂，不知該如何是好的阿光，就逃避似的，撲通一聲，整個人跳進噴水池裡，沖一沖午時短小的身影，瞇起眼來，仰望七彩水晶宮，然後，張開嘴，接住由上而下的晶亮水珠後，又對著以行潑出嘩啦的水花，大叫著：「發什呆啊！」

「下來。」

「下來玩水。」

阿光和以行蹦跳在噴泉裡，潑水戲水，還合力把稚盈一起拉進噴水池裡，洗一洗，僕僕風塵的身體，搓一搓，迷茫焦慮的靈魂，還仰起頭，張大口喝著噴泉水，一直喝一直喝，直到不再感覺口渴為止。

就這樣，旅人感覺到裡裡外外，乾淨清爽，全身上上下下，每個細胞，充滿歡樂，才有了生命的歡愉與自在。然後，帶著飽滿的勇氣和熱情，向著遠處的桃源村落和未見蹤影的古堡，尋夢去了。

*****

桃源村落，綠蔭盎然，桃花處處可見。

桃樹綠林間，四處錯落著紅瓦紅牆小屋舍。小屋舍，有新有舊，總是環繞、面對著黃泥沙地大廣場，若隱若現的錯落林間，很難分出何處是樹，哪兒是屋？

「怪了！」

「怎麼啦？」

「好像樂高小鎮。」

「經你這麼一說，怎麼看，就怎麼像，樂高聚落呀！」

旅人遠遠凝視，桃源村落就像原始綠林中，自然錯落的一欉欉紅花，流露出村民遠自亙古以來，對某種一體感的追尋，浸淫在某種本質的簡單生活的喜悅裡。可旅人看啊看，似乎又看出某種久遠流光，曠世巨匠的光輝裡，留有村民永不放棄的堅持，綿延的傳承，體現出某種和諧與忘我的獨特氛圍。

而且，這種融為一體的氛圍，似乎存有一種攫人心神的大能量，讓旅人遠遠地，就被吸引住了，難以言傳地，不知不覺融入整體大氛圍裡，化為桃源村落的一部份。

旅人神醉在桃源村落的獨特氛圍裡，看見了一片片紅瓦紅牆，散發出紅光氣韻，錯置在千千百百種層次的綠色蘊蔭間。

而那由磚紅、棗紅、荔枝紅、櫻桃紅、桃紅、斑駁的朱紅和濕苔覆蓋下的暗紅等千千百百種色度和調性，渾合魔化，相互輝映成一片神光氣韻。

一道道紅光氣韻，在陽光下、野風中，閃爍舞動著；閃爍舞動在青蔥綠、稻苗綠、芽苞綠、松針綠和老榕綠等千千百百種自然綠蔭中。

原本就閃爍舞動著神光氣韻和綠林蘊蔭的大廣場，在七彩陽光的投射和飄遊野風的穿梭下，更是從上而下，把其閃爍舞動的光影，經過多方折射再折射在黃泥沙地大廣場了。

剎時，旅人眺望到令人驚艷的桃源村大廣場，不再是大廣場了。

它幻化成彩虹光纖大巨蛋了。

*****

這時，太鼓聲，咚咚咚，綿綿不斷，從彩虹光纖大巨蛋裡，傳了出來，大地跟著顫抖，遞傳到旅人的腳底下。

旅人專注聆聽起太鼓聲；一啟始，有一聲，沒一聲的太鼓，零零散散，分分明明，打從鼓心震盪而出，然後，節奏越來越快，重重迭迭，轟然一片。旅人的心，不由分說，跟著太鼓聲，咚咚咚，搏動起來，血沸騰起來，全身細胞，燃燒起來。

太鼓聲，咚咚咚，咚咚咚，有了震耳欲聾的轟鳴，遠遠地，旅人就著魔似的，受到某種歷史時空的拉扯了。

這時，阿光亂沒來由地，扮猴樣，仿悟空，把手放在額前，眺望一番，耍起嘴皮子，扮起戲來，說：「四野無它物，古堡在前方，打從這邊來，跟咱向前行。」

於是，旅人興奮地，向著黃泥沙地大廣場跑去，就近一看。

「煙塵滾滾的大廣場喲！」

「人來人往的鬧市。」

「你看，那邊有人踩高蹺，有人勾著鐵圈滿場滾，還有兩串人馬像百足蟲般的競速飆快啊！」

「嗯，划腳競賽。」

「百人同手同足哩！」

「還有人扯鈴、打彈珠、攻城防池玩象棋。」

「難道，這是桃源村的節慶廟會？」

「我們也去玩玩吧！」

不一會兒，飛奔的旅人，就氣喘吁吁，喘著粗氣，來到大廣場邊緣了。

但是，他們才一停下步子來，太鼓陣又緊緊擂起，咚咚咚，咚咚咚，持續不斷的緊張轟鳴交響，渾然一片，簡直不容人喘息，不容人多說，不容人多想，就被太鼓陣攫走了所有心神和注意力了。

*****

熙熙攘攘的大廣場中央，上百人的太鼓陣，個個著魔似的擂、拍、點、擊、搥、敲、打、踢向大大小小的鼓面鼓身鼓邊和鼓釘上，然後，昂揚跳躍，迅猛擂鼓、擊鼓，還高高低低出現了不斷變化的鼓點節奏，急速變化，交錯間奏出鑼鼓喧天的熱鬧繁華時，兩支黃澄澄的大笙旗，滿場飛揚。

所有團員們，身穿朱紅色團服，翻飛的衣襟上，用金、藍、白絲線，刺繡出一條條神龍，隱現在翻騰的巨浪中；鼓槌上的飾穗，隨著變異的鼓聲節奏，在空中揚飛出不同身影。

鼓聲齊奏，聲喧震天際。

可在震耳欲聾，喧囂鼓聲中，旅人的視線，穿越過太鼓陣，遙望到雄偉古堡，就惦記起時空梭來了。

這下子，不管怎樣，旅人無心多加流連，多所耽擱了。

「直接攻向古堡？」

「白髮白鬚翁不是說，過了大廣場，過了桃源村落，就近了。」

「既然近了，就別再逗留。」

「那就快走吧！」

於是，時空旅人繼續走上心念中，高高懸掛的時空旅程了。

可是，旅程近了，真得就快了嗎？

*****

旅人心繫著時空梭，急切切地，踏上黃泥沙地，踏入大廣場。

可是，急切的飛腿，一踏上黃泥沙地時，腳下的沙子，不僅沒有窸窸作響，連原本清晰了然，穩當實在的大廣場，剎時，變了樣！就像宇宙探發局專員由空中落地時，腳尖一碰到石板道，就啟動大地古琴般，剎時，變了樣。

可是，為什麼穩當實在的大廣場，幻化出新樣子？

為什麼平常無奇的大廣場，就在旅人眼前，釋放出沉潛靜默的像似不曾存在的本質，幻化出新樣子？

這時，時空旅人還不知道，宇宙意識的隱然存在啦！

他們在時空旅程中，一次次的經歷事件，一遍遍的體驗事物，而時間就在剎那剎那間，一一成了不再存在的過往；而且，許許多多的人、事、物，就在旅程中，向著旅人的內在潛意識和前意識消解而去，消逝無蹤。然而，時空旅程中的一切，卻又在他們的身體和心靈，點點滴滴，留下了某種精神性的影響。那些肉眼看不見的精神性能量，點點滴滴，持續積累，轉化戰士意識，進行一種屬於本質的潛移默化。

此時此刻，來到桃源村落的時空旅人，早已不再是噗突抱竹鎮的青少年了。

此時此刻，時空戰士的三雙腳，一旦踏上大廣場，就像六枝巨大毛筆，攜帶著莫名質素和巨大能量，投入一座已失本色，深不可測，沉潛靜置千萬年的古墨海，攪亂了深潛積累的未知質素，並把墨色漩染上來，暈黑了整座原本清晰了然，穩當實在的黃泥沙地大廣場。

大廣場，頓時暗了下來。

人群，不見了。

周圍的紅屋舍、桃樹綠林，不見了。

整個桃源村落，墨黑霧化，不復存在了。

可是，太鼓聲，音雖小，卻穩而沉，持續著咚咚咚。

那是悶在古墨海裡的太鼓聲，聽起來，像是宇宙的心跳聲，咚咚咚。

時空旅人，頓陷古墨海，呼吸加速，心臟急急跳動，咚咚咚，響個不停；全身的新陳代謝加速，進行著深層的身體淨化。

他們不由自主的，靠攏身軀，十指緊緊交握。

可是，太鼓聲，咚咚咚，直灌耳膜，讓人分不清是自己的心跳聲，還是太鼓的咚咚聲。

視線僅有一臂之遙，讓人瞧不出端倪，看不出破綻。

而怪的是，一時之間，旅人們卻也不急著尋找出路。

「詭異耶！」

「嗯，看不透，猜不準。」

「可真詭譎多端哩！」

稚盈揮晃著右腳，探測摸索一陣後，又嘟囔著：「奇怪！」

然後，她放開了旅人的手，獨自向前跨出步子，張大眼睛，看進什麼也看不清的古墨海裡，探視著；小心翼翼的，緩緩的，移動著雙腳，探測著。

她的肉眼，在黑漆漆的古墨海，什麼也看不見。

可是，她的心，知道一切動靜。

她動了一下，古墨海，就動了一下。

她點了一下，古墨海，也點了一下。

她晃了一下，古墨海，也晃了一下。

「咦，有趣！」

稚盈認真的移動著雙腳；漸漸地，她的腳一點一搖、一移一晃、一抬一踢，古墨海的黑霧氣，就會因而有了聚散濃稀的多元變化；古墨海就有了墨黑、鉛灰、灰黑、土灰、灰白、銀白、黑灰、銀黑等千千百百種色度層次的變化。

「怪異，真怪異！」稚盈輕呼著。

然後，她就挺有創意的寫畫起「永」字八法，更有意識地，玩賞墨色，做實驗。

她抬起腳來，一腳一畫，中規中矩的練起楷書。

她帶著濃濃趣味和高度興致，運著腳，寫著字，端詳著墨色的流動，感到如此的靜謐，如此的安心。因此，她什麼也不多想的玩著腳，划著墨，空著心，看著眼前一切的生發變化。她看了好久好久，然後，突然發現：「咦，這墨色的流動，不僅僅是墨色的流動耶！」

稚盈驚奇的發現墨色的流動，似乎暗示著某種規矩、某種紀律。更妙的是，在墨色示現的規矩、紀律中，似乎還層層襯墊著稚盈的生活影子。

可那是什麼呢？

稚盈不知道。

然而，她大聲驚呼著：「不是蓋的，真不是蓋的。」

「怎麼啦！」

「你們看，這廣場是一張超大的立體萱草紙耶！」

「哈，有趣！」

以行、阿光也玩心大起，要腳寫畫懂得和不懂的字體，圈圈叉叉，還炫耀似的用火星文來比畫、溝通一番。

他們的溝通交流，不全是依賴語言，依賴文字，更多是藉由意念本身的交流互動。而且，那些交流的意識，不只是旅人的意識，似乎還有像大廣場、霧氣、墨色、黃泥沙、紅屋、綠樹等更多有形無形的意識，不管你是誰？誰是我？只是毫不停歇地，交流互動著，讓一切的一切，你就是我，我就是你；或者，你不是你，我不是我，沒了區隔，沒了界線，沒了分別，沒了名字的那種意識存在的交流互

動，那種一體感的簡單，那種整體感的喜悅。

同時，沒了你我，沒了分歧，沒了界線，沒了名字的那種意識，就在某個時間之外，某個時間隙裡，經歷了一場量子跳躍，然後，一次次不斷生發出不曾看過不曾聽過不曾想過的玄思妙想，迸發出嶄新意識來了。

於是，旅人創造出古墨海。

*****

時空旅人在古墨海裡，放下了有的沒的規矩，放下了三心兩意的懸疑，放下了癡心妄想後的盤旋，越玩越大膽，越寫越流暢。流暢的腳法行書中，墨色的流動，有著更細緻的穿透、更自由的渲染，而有了豐盈多變的內涵。

有時，狀似八法乾坤，正經八百。

有時，神來一腳，讓人樂翻天。

有時，儼然巍峨，氣勢壯觀。

有時，輕狂飄逸，卻了然應心。

一切就是那麼簡單，毫無修飾，橫生妙趣，自成佳境。他們畫來畫去展創意，不顧一切，放膽地，在古墨海裡，玩野了。

隨心所欲，樂瘋了。

同時，就在旅人隨心所欲，耍腳玩字時，那墨色似乎也積累著無形的意識能量，讓墨色更是虛虛實實、趨趨離離、疏疏密密、濃濃淡淡，不停的交流生發，雖無形無象，卻富藏意義。

在幻化不定的墨色變化中，稚盈似乎回到一個散發冷光的生活圈裡。

在那冷光中，沒有以行，沒有阿光，只有一個孤孤單單的女孩。小女孩抱著一床殘存奶臭味的舊被子，滴溜溜轉著烏亮大眼睛，隨時觀察著週遭的大人們，語氣有沒有重一點，眉頭是不是輕皺一下，眉尖可曾聳了一下，走路的腳步，可有急躁些？或者，水龍頭下的碗筷，似乎多了些零碎的撞擊聲，……

小女孩抱著殘存奶臭味的舊被子，刻意討好著身邊的每一個人，委屈順從著那些突如其來，無從掌握的情境；像似昨晚明明說好，要一起出遊去，可是，一早起床，就變卦了。小女孩只能假裝一點也不在乎的樣子，乖乖接受；然後，默不出聲地，退到一邊，聞嗅著，異常氛圍裡的味道，打量著，氣場的凝重與混濁度。

……

稚盈看著不斷生發變化的墨色，帶著童稚之音，怯生生地，問著：「難道，那是我嗎？」

可墨色幻化不定，深不可測。

她無法確定，那些個超越文字的意涵；無法知曉，那些個隨機幻化的圖像。

她無從細思，這些個既荒誕又合理的事件；無從判斷，這些個虛幻的實存現象。

於是，稚盈帶著某種叛逆感，喃喃自語著：「管它咧！」

然後，她自由奔放地，寫畫出一個個造型豐富奇趣的古墨字，看來有點像是古文篆體，然後，又放肆玩心，放膽揮灑腿法，歪七扭八，鬼畫符般的，畫出一個個奇醜無比、不像樣的字畫來。

「我偏要胡搞瞎搞，又會怎樣？」

稚盈因而生發出不顧一切，自我放逐般的力量來了。

然後，她忘我地，揮甩腿法，忽而奮力打叉叉，忽而迴旋繞圈圈，忽而猛然跳起，憤而攛入古墨海。

她全身上上下下，澈澈底底地，投入創發，打破了平日書寫文字時，刻意遵

循的尺度，忽而疏散，忽而呆板僵化，忽而緊結，忽而老辣生澀，忽而工整，然後，留白飄逸，進行著書畫的創作遊戲。

在遊戲中，她似乎突然擁有了豁然貫通的激流，狂妄地，跳脫了字與字的邊界，解構了行與行的線界，僅僅留存著念起，點落，線行彎彎曲曲，粗粗細細，輕輕重重，疏疏密密，玩起狂草般的飛行遊戲。

「我是創造之神。」

她的腿，要怎麼揮、怎麼甩、怎麼斷、怎麼連，就怎麼將就下去，就怎麼寫下去。她的思維粒子，絕不波動在是不是、該不該、對不對、好不好、美不美之間。

她，毫不猶豫地，揮甩腿法，畫字創字。

她，臨著古墨海，瞬間，造字成形，瞬間，無象無形，揭示智慧。

一切就這樣。

而古墨海，墨色紛紛亂亂的流動、飛濺、漫攀著；繁繁複複的堆疊、穿透、烘托著。

這時，絕妙之事，發生了。

她提起腿來，腳尖輕輕一點，然後，她的腳，她的腿，似乎就有了自我意識，

不再受到稚盈的指引了。

而稚盈，也放任了她的腿，她的腳，自行去了。

喔，不，稚盈根本連放任腿和腳的意念，都沒了；她無思無想的，讓腳隨心所欲，彎來彎去。或者說，她的腳和她的腿，受到了墨潮的牽引，拉扯，聯動，自動自發的橫橫豎豎彎彎曲曲左拐右拐，纏纏繞繞寫畫出由上而下綿延不斷的長長畫線；然後，那長長畫線又由下而上寫畫出右拐左拐曲曲彎彎豎豎橫橫的線條，一步一步結字而出。

令人訝異的是，稚盈似乎也抽離了她的腳和她的腿，閒看著那些由上而下的線條和由下而上的線條，精巧奇妙，結字合成出「意—如—事—萬—」的字畫來了。

「我的天呀！好個萬事如意啊！」

稚盈滿心狂喜，驚見著古墨海之字，真真切切的存在著。

而且，那真真切切存在的字啊，瞬間形成、變化、消逝、幻滅著。

而稚盈就在全然投注於寫畫、創造著那虛虛實實的古墨海文字時，也挺饒趣味的，讀出古墨海中，那些如真如幻的文字，還是歌謠，是宇宙初音，是咒語，是詩，是圖畫，是故事。

沒錯，還具存著故事。

她在古墨海的意識能量場中，讀到了自己累積已久的過往生活故事。

那是不曾看見，不曾知道，絕然陌生的故事；一個可遇不可求的故事。

而且，確確實實的，那是稚盈自己的故事。

她的心，就是知道，那是自己的故事。

*****

「回來啦！」阿姨堆滿笑臉，招呼著。

「嗯哼。」稚盈斜眼一掃，粗魯無禮的情緒風暴，橫掃而過，轉身進了房間。

突然，砰——，好大一聲，在稚盈的身後響起。

稚盈驚嚇了自己，也驚動了阿姨。

阿姨莫名其妙，不知所措，呆愣在門邊，說不出話來。

而稚盈不僅才一入家門，就把自己隔離在臥室內，更是狠狠的，把自己拋擲上床，然後，才白癡般的胡亂使力，拉扯背包，搞了老半天，好不容易的卸下了

肩上的重擔。

可她才扯下沉重的背包，孤寂無力感，剎時竄升，爬滿全身。

萬般無奈地，她戴上耳機，把音量調轉到至大，睜圓眼睛，乾瞪著灰白的天花板，試圖乘著吼嘯的歌聲，飛離地球表面，把自己拋擲到星際外太空。

可是，要不了多久，她又掉進漆黑的心裡時空中，不斷反芻著那些個無奈、敵意、後悔、怨恨、罪疚等陳年情緒，編纂著自我故事，塗鴉起自我形象，萎縮成一個可憐兮兮的小娃，躲在癱屍般的大女孩的身體裡面。

而且，當砰一聲，在稚盈的身後響起時，不僅驚嚇了自己，也驚擾了斜躺沙發，盯看著足球賽事的爸爸。

爸爸回首，望了一眼輕微抖顫的門板，和無辜晃動的門簾，什麼話也沒說。

可稚盈卻神妙之極，瞥到了爸爸的刻意隱忍和假裝，視而不見。

視而不見。

她不禁有了些許的，自鳴得意。

自鳴得意。

可這挑釁後的得意，帶著苦酸味，一點也不甜美。

為什麼呢？

為什麼會這樣呢？

她不知道啊！

古墨海的墨色，幻化不定，深不可測，卻示現出語言無法形容，也不必用語言來描述的某種意義。

而且，稚盈根本不知道，在這古墨海的混沌中，她不知不覺的，挑戰了乖女孩的禁忌，跨越了好女兒的思維框架。

她在放逐古墨海的時空中，敞開了自己，把深藏的魅影和未知，釋放出來啦！

而她的未知呀，就在單純的玩字，膽大包天的運字，放肆的鬼畫符，無法無天的狂妄戲耍中，從忘記而記起來；從無知無覺的意識底層，波動到能知能覺的意識層面來了。

她，認識了比人類文字，更通達透徹的墨色藝術，而有了出奇不意的看見。

她，在埋怨、氣憤、委屈、無望的情緒流感中，滋生了無比的輕鬆自在，滿心喜悅地感覺來了。

生命，變得輕盈了。

06 墨潮中的戰事

「哼，不是老鼠？你還是無嘴，也會咬勒！」以行痛得反唇相激。

「聰明！我是道道地地，無嘴也會咬。我啊，能把小樹苗，咬成大綠樹。我啊，還能把紅蘋果咬成爛蘋果，把高山咬成深淵，把細沙咬成巨塔。你猜，我是誰？」

稚盈滿心喜悅地，端看著古墨海的生發，凝視著墨色的幻化，久久的，不言不語。

突然，她沒來由地，思維粒子，激烈波動，心底鼓動起一股暗潮，洶湧澎湃，令她不明不白的慌亂了起來。

「糟啦！」瞬間，她回到了古墨海的當下現實境域，看到了以行，看到了阿光。

這時，阿光正跳躍而起，待要一腳直摜無比闃寂黑暗的古墨海，在超大立體萱紙上，踏出蒼勁有力的筆法。

「停！」她大聲驚叫，聲波和墨潮相互鼓盪，直直衝擊旅人，也把自己驚出一陣雞皮疙瘩。

「怎麼啦！」以行愣愣地問著。

「別玩，阿光！」稚盈心急如焚，無空多做解釋，嚴厲的吼著。

「哼，老大姐又上身啦！」玩得正樂的阿光，乍聞稚盈的吼叫，可真不爽。

不過，稚盈的驚慌和嚴肅，也讓他本能地，嗅出危機，警覺地，停了下來，不敢再玩下去了。

旅人警醒的觀察著。

這時，時空旅人才意識到，他們在古墨海裡的一舉一動，都具有某種意識力量，彼此聯動，轉化時空，轉化著周遭的一切。他們的每一個步伐，不論輕、不論重；每一個腳式，不論起、不論落，都像是霑飽墨汁的毛筆，落在立體萱草紙上揮毫。

而且，就在他們揮腳玩耍的流動時空中，墨色迅速渲染開來，古墨海也瞬即因應萬變著。不論一點一捺，一勾一豎，長撇短撇，平橫仰橫，古墨海就越來越暗黑，墨色渲染漩復，重疊成大塊墨，讓大廣場的視線越來越模糊，越來越混沌了。

時空旅人，不顧一切的放膽玩心，把大廣場渲染漩復成無邊闃黑的古墨海了。

而且，旅人們也在不知不覺中，迫使自己，陷入你看不清我，我看不清你，伸手難見五指的境地啦！

更玄的是，古墨海裡，還藏有隱隱流動的暗潮；那暗潮環繞迴流在旅人身邊，任意的輕搖輕晃著旅人的身軀，而且，就在輕晃輕搖的力道中，也牽引了旅人的感覺，拉扯、聯動著旅人的情緒，壓迫著旅人的思維，跨越了原本的心靈時空。那麼，時空旅人，會不會掉入越來越迷離的迷宮，陷入越來越混沌的時空呢？

甚至，時空旅人，會不會迷航在遙不可及的未知境地，漂流到世界之外呢？

他們驚慌的胡亂思維，瘋狂臆測。

*****

可時空旅人，一旦驚覺闃黑、幽深、莫測的古墨海，潛伏著莫大危機時，早已陷入迷離暗黑的時空了。

一切都太遲了！

「真是難以思議呀！」

「快，快離開這兒，直接前往古堡。」以行催促著自己，無論如何，要勇往直前，繼續時空旅程，也急急催促旅人，避開險境。

「知道啦！」阿光應著，同時奔跑起來。

可是，旅人們驚覺、慌亂、竄動著；古墨海也隨即驚覺、慌亂、竄動了起來。

古墨海的隱隱暗潮，剎時，洶湧澎湃起來。

這時，旅人察覺到一波波的墨黑浪潮，由地心湧現，狂亂的洶湧澎湃起來。

稚盈見狀，驚聲尖叫著，「小心！」

可她的聲音，剎時被隨處翻滾的浪潮聲，覆蓋而去，或者，剎時被隨處翻滾的浪潮，吸納吞沒，成為浪潮聲的一部分；然後，化成一波波更兇猛的墨黑浪潮，反衝過來，要吞沒時空戰士。

「要命啊！」

剎時，旅人被橫掃入浪潮餘波中，隨著浪潮衝向藍黑天穹，拋向迴漩的漩渦裡，翻覆在暗黑浪潮中，不知所向了。

他們在狂亂的墨黑浪潮中，身不由己似的拳打腳踢，卻掙脫不了浪潮的拋擲、捲漩、翻覆；然後，似乎沒了以行，沒了稚盈，沒了阿光，竟然，難以避免地，化成彼此拋擲、捲漩、翻覆的浪潮本身了。

因此，他們死命的，要脫離墨黑浪潮的衝擊和翻攪，卻還老是在浪潮的翻滾中，你的腳，踢上了我的臉，我的手，捶了你的背，我的頭，撞上了你的肚腹，你的腿，夾住了我的頭，彼此激起滿心恨意；要不然就是，阿光控制不了自己，沒來由地，對著以行揮來一記猛拳，或是以行惡狠狠地，衝著稚盈，橫掃出一條鋼腿，彼此氣得牙癢癢，狼狽不堪。

「嘿，小心！」

「對不起！」

「啊，注意。」

「白癡喔！」

旅人驚聲連連，罵聲不斷，叫苦連天。

可一切的一切，旅人只能徒呼無奈，莫可奈何！

就在極度狼狽不堪下，稚盈又淒厲喊叫而出：

「停——」

旅人們，不經思考，直接剎住，定住自己。

腦袋空白。

木頭人般等著。

等著。

而墨黑浪潮，似乎少了旅人的萬般驚慌、胡亂攪動的意識動能效應，也隨之弱化，緩和下來。

旅人收束心緒，靜定自己。

靜定。

墨黑浪潮，緩緩波動。

旅人聚焦意念，前往古堡。

他們如履薄冰，不敢造次，不敢燥動，不敢再用腳在古墨海上寫畫書法，壓根兒，無心試試大小篆書法，更別提揮灑行書狂草藝術。

他們步步為營，就怕誤闖了更大的危險境地。

浪潮漸漸退去，古墨海變得一片灰茫，空氣滯悶著。

戰士們，膽小如鼠般的吱吱吱，不斷窺視、探測著大廣場，裹足不前。

這時，悶悶的太鼓聲，更像遠從亙古傳了過來，咚咚咚，咚咚咚，綿延不斷，逼迫旅人，急切切的，糾葛在時空旅行的殘念中。

「現在，該怎麼辦？」阿光按耐不住，十分焦慮地問著。

阿光這一問，倒是讓稚盈憶起了綠枝枒之戰的過程來了。

她清晰的記起來，越是慌亂，就會帶出更多不必要的情緒，把問題糾葛的更紛雜迷亂的事實；頻頻出招，不僅脫離不了麻煩，還在不知不覺中，製造更多問題，陷入更大的困境之中。

於是，她歷經了旅程的淬鍊，終於，有意識地，知曉了。

她知曉了，先管束好自己，平定了自己的情緒，靜下心來，就能緩和危機，甚至，解除危機；就在這時，什麼也別想，什麼也別做，一切可以簡簡單單的因應，那就會是神奇之道。

於是，她挺清晰地說：「停！停下來。」

「再來呢？」

「靜下心來，不要動念。」

「這古墨海，黑得駭人呀！」

「一動也不動，也會要人命咧！」

「靜下心來，才能聆聽到真正的聲音。」

於是，旅人收束心緒，靜下心來。

沒一會兒，周遭又有動靜了。

旅人的耳朵，剎時被拉走，無法全然的安靜下來。

「噓！」

「那是什麼？」

「瞧，那兒有一大塊墨會動耶！」

「移動的很慢。」

「看來很大隻，可是那未免也太大了。」

「來了，它來了！」

「它是誰？」

「不知道。」

「它走過來了！」

大塊墨越逼越近；戰士們，陷在古墨海裡，動也不是，不動也不是，這下子可真是左右為難啊！

旅人極為認真的，審度盤算著這一番局勢，卻又百般慌亂的，難以理出頭緒。

因為這下子的遭遇，偏不是有跡可循，有相可查，山雨欲來，風滿樓般的生活事件；這下子的遭遇，是跨越時空的，未知境遇，是違情違理的，古墨海事件啊！

這廂局勢，是虛虛實實，心靈異時空的戰事啊！

可這戰事從何而來？

這戰事為何而來呢？

一切荒誕謬誤，膠著不明！

*****

此時此刻，似有敵軍十面埋伏，透著幾分蠢蠢欲動的殺機，危險氣氛緊繃到極點！

潛伏的危機，步步逼近，而時空旅人正是他們的目標。

任何風吹草動，皆步步驚魂。

可敵軍是何方神聖，旅人全然無知，更難以因應對付呀！

然而，時空梭就在不遠處，時空旅程還等著他們去追尋，難道此時此刻就要自我放棄，或者坐以待斃嗎？

不！

絕不。

戰士只能勇往直前，一定要堅持下去；一定要做個道道地地的時空旅人，為自己掙來真正的時空旅程。於是，他們蹲跨著堅實馬步，擺起陣式，進入緊急備戰狀態。

他們化零為整，背靠背，團結一致，彼此合作守護彼此的瞎盲後方，建立完美的防護網或防火牆。

他們啟動全身上下每個細胞，眼觀四面，耳聽八方，步步驚心的移動著，佈下臨機攻堅，蓄勢待發的陣式，正待奮力一博，力求逆轉勝，完成不可能的任務。

*****

不過，話說回來，旅人團隊的高度警戒，卻也只是你踩著，我剛踩過的路，我踏著，你剛踏過的步，兜著圈兒，團團轉而已！

可這兜圈、踏步、移防、團團轉的攻堅陣式，實質上，洩露出旅人的慌亂無心，澈底無知的戰略呀！

更糟的是，這下子，他們又在渲染漩轉出更黑更亂的古墨海，把自己逼進更闇冥不清的未知境地，更陰森無光的深海溝罷了！

「這海，好像要把人整個吸進去。」

「吞人的闃寂墨海啊！」

旅人們，驚心動魄，顛晃著陣式，顫抖著移防的步數。

以行慌亂的滑動著碎步，額前的瀏海，扎痛了睜得渾圓的眼珠子，難以置信的說：「那大塊墨看起來像一頭……」

可他的話，對稚盈來說，卻是個挺煩人的干擾雜音罷了！

因為，稚盈有自己更迫切更真實的發現。

「噓，注意聽，有細碎的吱吱聲。」

她堅定無情地，打斷了以行的話。

然後，她側耳傾聽，猜疑著：「那是什麼啊？」

同時，阿光心跳急速加快，慌慌張張的說著：「那兒，那兒也有一大坨黑黑的東西，露出兩點睛光，虎虎生風，來啦！」

「啊，陰風來襲，危險！。」

「要、要逃，就趁現在啊！」

可是，阿光的凌亂思緒、緊急提醒和驚慌呼叫，對他自己來說，卻是澈底的空話，沒有一絲作用，也沒有一絲力量。

因為，他的雙腳，再也不敢動了。

然而，雖說阿光再也不敢動，這話卻又差遠了！

因為，是那陣陰風效應，讓阿光一動也不能動呢？

還是，就在阿光一看到那兩點睛光時，雙眼就被那兩點睛光，攝走了魂魄般，被定住了；或是，阿光對視著那兩點睛光時，就被它們發射出來的磁場，莫名其妙地，給封印了？

這番局勢下，實在無從得知啊！

終究，他動彈不得。

這番局勢下，到底是禍是福？

難以定調，令人糊塗！

可是，阿光的一動也不動，讓旅人們無法再兜圈，不再團團轉，不再旋轉墨黑狂潮。古墨海的暗潮，因而緩和下來，墨色也因而有了轉化。

*****

墨色轉化中。

時空戰士，在疑惑中，靜觀萬變；在驚恐中，窒礙難行。

突然，稚盈用手肘，無聲的碰觸，分立兩側的以行和阿光，好引起他們的注意，然後，低聲說：「看！那邊。」

以行轉頭，阿光回神。

戰士的眼光，同時看向灰黑墨色中，有個小東西，蹦蹦跳著，越來越近。可當他們全神投注，目不轉睛的地，盯看那個蹦蹦跳的小東西，七上八下地猜想著，那是什麼東西時，突然，頭頂上又有了異常。

異常沉重的水霧，全面籠罩，壓頂而來。

這下子又會是什麼呢？

旅人心神一凜，不約而同，仰頭一看——

「天啊！」濃濃水霧中，有個神秘客盤旋而至。

以行張嘴卻無聲的說著：「龍！」

旅人用著充滿驚異的眼光，看了看對方，點頭同意。

然而，在萬般困惑與忐忑不安中，時空旅人只能呆若木雞的等著。

時間靜靜流逝，古墨海漸漸隱去。

大廣場，披掛起一頂灰濛霧帳子，透出絲絲銀輝；黃泥地，悄悄現蹤了。

旅人不敢隨意動彈，驚奇地，環視著大廣場，困惑地，端詳著正在上演的驚人動靜，神妙幻化。

墨色逐漸褪去，在霧帳子裡，浮現出大廣場的樣貌了。而清晰浮現的，還有鼠、牛、虎、兔、龍、蛇、馬、羊、猴、雞和狗。他們靜靜的分立在不同的十一個方位，圍成個圓，困住了圓心中的旅人們。

這時，肉眼看得清晰，看得清楚，旅人的心裡，就不再那麼害怕恐慌了。

然而，旅人從來不曾有過，被一群大大小小，不同的動物包抄的經驗，不曾見過這種荒唐境遇呀！而且，這個突發事件，還激盪出某種殘留心底，對不明未知的莫名恐懼感。於是，旅人竊竊私語。

「糟了！」

「我們被團團圍住了。」

「這群動物們，幹嘛圍住我們？困住我們？」

「看不出動靜，嗅不出端倪。」

「難道，他們在合作狩獵？」

「啊，合作狩獵？」

「完了，這是死亡陷阱！」

話音一落，剎時，風起雲湧。

大廣場的時空，極速地越變越大，一望無際，還劇烈幻化……

忽而，狂風翻騰打轉的黃沙，滾起枯乾草球，滾過石塊嶙峋的沙漠，傳來沙沙聲。

忽而，綿延不盡的長草漫漫，在風中搖擺。有一隻大老虎，正壓低著身軀，靜悄悄地，穿梭在漫漫長草裡，緩緩趨前狩獵中。

忽而，風雲變色，馬嘶牛奔，雞飛狗跳……

旅人們身處危險困境，腦波激烈發射，腦神經迅速連結，無法理智思考。

「慘了！」

「天啊！這群野獸到底想怎樣？」

「我們注定沒命啦！」

「還是，逃了吧！」

旅人們，再也沉不住氣，狂奔起來了。

*****

這時，旅人無從細思，沒能多想，一切只能憑著直覺因應，狂奔逃命。忽而，在狂風中，東倒西歪的奔著、跑著；躲著飛沙走石的襲擊，險避沙漠惡客的突襲。忽而，在綿延不盡的長草中，撒開飛腿，沒命似的逃著。忽而，在風雲變色的時空中，東奔西跑，四處竄逃，疲於奔命……

可是，當旅人們東竄西逃中，綿延不盡的黃草原，就無盡的延伸出去；一望無際的沙漠，更是無邊無際的擴展下去。

這幻化不定的時空，看不見終點，覓不著邊際，給了旅人一種截然不同的印象，那是極為細緻，也極為粗獷；極為空明，也極為繁複，明明是這樣，剎那又是那樣，幻化不定，沒完沒了；沒完沒了的險境，一一臨現旅人身上，讓旅人深陷要命的獵殺遊戲中，一再竄逃著，疲憊不堪。

而且，風雲變色，越來越闃黑、陰沉的時空中，一輪火太陽和血月亮向著彼此，衝撞而去……

「完了。」

「世界末日到了！」

「媽呀！」

動物們，瘋狂了起來。

「活見鬼啊！」

「糟啦！」

動物們，瘋狂的攻擊旅人，卻又像驚慌地狂奔逃命，逼得旅人頓時陷入莫名混亂，困惑，驚恐的思維漩渦中，看不清，釐不明，自廢了手腳功夫，自廢了思維力。

「逃啊！」

「這下子肯定沒命啦！」

老虎死命追殺而來，旅人又能巧妙地，借用龐大的牛身，當作屏障，及時閃避了撲殺；可萬萬沒想到，逃過了被撲殺的厄運時，剎時，旅人又見一顆雄壯無

比的羊角頭，瘋狂的即將欺身而來。

「該死的東西。」

「幹嘛硬衝著我來啊！」

旅人才一瞥見羊角頭，就驚覺羊角不知從何縫隙，頂上了自己的屁股溝，把自己高高舉起，頂在半空中。旅人的意念，待要急驚風般的波動起來，不自覺地，就要沒命似的，哇哇大叫起來時，就被狠狠地，摔了出去。

咻——，旅人飛身而出，脫了險境啦！

一脫險境，旅人一目了然，無比清晰地看著自己，像似以著極緩慢的動作，伸出手來，摸一摸自己的屁股，好確定沒被羊角捅出洞，破了皮，出了血時，轉瞬間，又順勢被甩向高聳的枯草堆，被埋進厚實的草堆裡。……

這些極度荒唐事件，輪番逼身臨現，讓旅人們無法理解、無從思考，僅能勉力因應在一個又一個死亡陷阱裡。

可不知怎地，這一切又像似故佈疑陣的戲碼。

旅人覺得自己又像是在有影無影、虛虛實實、交錯疊複的時空中，放蕩奔竄呀！

而且，在這詭譎萬變、危險至極的荒漠野地，戰士們清晰的看見自己，在接二連三的驚恐、荒謬、僥倖或悔恨不已的突兀事件中，還能不時地，閃過一些偷雞摸狗的卑鄙念頭，做出貪心不足，蛇吞象的伎倆行徑，或者，做出極為邪惡的決定，去因應著瞬息萬變的萬花筒世界。

戰士們，在這一連串的幻象中，似乎看見了某種真實的影子，不禁探問著：「我真的是這樣子嗎？」

「這真是我嗎？」

＊＊＊＊

經過了一籌莫展的困境，面對了一蹋糊塗的連環事件，戰士們就要耗盡體力，一蹶不振了。

還好，他們倒也不是一無所獲啦！

因為，這一切窮兇惡險的萬花筒世界，終究露餡了。

稚盈不再狂奔，不再逃命。

她停了下來，大口喘著粗氣，滿口嚷著：「停——」

「停！」

「停？」以行聞聲，也有了某種體驗後的驚醒，迷糊地叫了一聲：「啊——」

阿光直覺地停駐，咕嚕了一句：「又來了！」

他繃緊著神經，高度警戒著，東探西望後，才問：「為什麼？」

「這事兒有蹊翹。」

「怎麼說呢？」

「這事與蠻荒野地無關。」

「牠們不是動物園的動物。」

「牠們也不是野獸。」

「不是野獸，那會是什麼呢？」

旅人們，在你一言，我一語的理性思維下，情緒的意念粒子，變緩趨弱，減緩波動了。

漸漸地，他們控制下情緒，不再恐慌，不再焦慮。

然後，絕妙的事，發生了。

大廣場又如常的化現出來。

可是，動物們仍團團圍住旅人。

旅人還是困在大廣場裡，哪兒也去不得的窘境。他們想東想西，問這問那，拼命激盪腦力，想要拼出個譜來，以求得一個有效的因應，覓得一個逃生的法子。

「牠們來自哪兒？」

「為何而來？」

「有啥目的？」

以行記起了關主任曾說過的話，憶起了「每一趟任務，總是跟自己的切身經驗，緊密關聯。」於是，他說：「他們不會莫名其妙地出現吧！或許，牠們跟我們有關。」

稚盈一聽，似乎有了新發現，就說：「難道，牠們來自文化兜湊的時空？」

「文化時空？」以行和阿光對視了一下，眼瞳閃現出理解的光芒。

無論如何，戰士仍被困住，困在浮躁的思慮糾葛中。就在這時，大廣場又有動靜了。

「噓，注意！」

「看。」

旅人同時轉頭，定睛注視著來者，姍姍來遲，緩緩變異，一步一步，慢慢現身。

「這又是什麼？」

「圓滾滾的。」

「像似——」

「豬嗎？」

「我想是豬吧！」

「是豬。」

「啊——」

「沒錯，就是十二生肖。」

旅人睜大眼睛，直勾勾逼視著正在進行的事件，好不容易，拼湊出十二生肖的名堂，大大地鬆了一口氣，而有了豁然開朗的快意。

可是，十二生肖，怎麼會同時出現呢？

這到底會是什麼樣的不思議事件啊！

戰士們，壓根兒摸不著頭緒，探不到暗底。

他們仍矇昧無知，卻又似乎窺視到某個平行時空，或者說，旅人能從某個現實境遇，來呼應此時的夢境時空。

可是，旅人仍摸不出頭緒，仍一無所知。

而無知啊，絕不會孤孤單單，踽踽於行啦！

它常伴隨著莫名焦慮、無謂恐慌和莽撞行為，不是嗎？

於是，旅人對此莫名狀況，不再多聊，不再多看，不願多等了。

他們不敢再存有任何好奇、僥倖或觀望的心理了。

他們覺知到，可能存在的巨大危險，即將臨現；他們意識到，頃刻間可能陷溺於無法逃脫的困境。

他們驚慌，自我警醒著。

「十二生肖，衝著我們而來！」

「我們要被團團圍住啦！」

「此時不溜，更待何時？」

「溜！」

話音一落，戰士們，同時衝向那唯一的缺口方位。

可是，說來遲，那時快，豬剛好堵上了缺口，還懶懶地說：「想趁機逃溜？」

這下子，如常的大廣場，看似無事，卻是有事。

這下子，旅人的境遇，看似容易，卻也困難重重。

戰士一急，甭多說話，不約而同，轉移陣地，直接衝向脆弱方位，肖想從老鼠那端方位，竄逃出去。

可事出突然，旅人們念動腿移，無比慌亂。

而且，那看來一動也不動的小老鼠，剎那間，卻已陰招使成，攻其不備的咬住了以行的腳踝。

以行痛得不得不停下步來，在原地亂吼亂跳，亂甩亂叫著。

「會痛耶！臭老鼠，還咬人。」

「哼，你看到的樣子，不是我的樣子，我不叫老鼠。」老鼠吱吱說著，又不像老鼠在說。

「哼，不是老鼠？你還是無嘴，也會咬勒！」以行痛得反唇相激。

「聰明！我是道道地地，無嘴也會咬。我啊，能把小樹苗，咬成大綠樹。我啊，還能把紅蘋果咬成爛蘋果，把高山咬成深淵，把細沙咬成巨塔。你猜，我是誰？」

一時之間，以行啞口無言，真不知道，不知道該如何接話。

在一旁的大牛，前腳跺著地，低著頭用兩支大彎角，頂住阿光和稚盈的去路，低沉的哼著鼻息，說：「逮到了。」

「牛大哥，行行好，我們要去古堡。」阿光軟化了態度，乞求著。

「你看到的樣子，不是我的樣子，我不叫牛。」大牛也慢慢的說著，可是，又不像是大牛在說話。

「明明是牛啊！怎麼又不是牛。」

以行邊想邊看著圍成一圈的馬、龍、虎、兔等，越看越奇怪，可就是說不上來，到底那兒奇怪了。

阿光轉了轉腦袋瓜，妄想降低大牛的戒備，就和大牛博起感情，哈啦了起來。

「嘿，牛大哥，行個方便，好嗎？」

「牟——」

「別這樣啦！」

「牟——」

阿光裝出一副乖巧聽話、耐心樣，凝視著大牛的汪汪大眼，說：「牛大哥，通容一下，別耍牛脾氣，讓我們過去啦！」

咦，可怪了。

阿光在那對汪汪大眼裡，看不到自己的影子，倒是看到了汩汩水氣從那雙汪汪大眼的圓圓瞳孔裡往外漫溢了出來，漫成了濃濃霧氣，越漫越大，越漫越大，化成了汪汪水田，轉化出田野時空來了。

阿光錯入大牛的記憶時空，回到了遺忘已久的綠色田野了。

07 不得不的蝸牛術

時間啊，在阿公泡稻種、抽菸和聊天時，偷偷溜走了；也在蝸牛爬行、白鷺鷥飛翔、牛犁田、小鴨仔搶食物、爸爸說故事中，……靜靜的更迭，流逝而去了。所有的人、牛、稻苗、白鷺鷥、小鴨仔、蝸牛等，都周旋在時間中，忙碌著。

一畦畦的汪汪水田，倒映著藍天白雲。於是，人踩在藍天、白雲、黑水間，駛著犁、駕著牛在犁田。

新翻的田土，帶著溫暖濕潮的氣息，供出肥美的蚯蚓，邀來一群白鷺鷥翩飛，進行一場搶食掠奪戰。遠遠的，阿光看到戴斗笠，挽褲腳的熟悉身影，一絲絲懷念的暖流，穿過身體。他不禁跨大步子，跑了起來。

他邊跑邊喊著：「阿公——」

阿公正忙著把一袋稻種，甩上肩頭，赤腳走向溪邊。

他沒聽到阿光的喊叫聲。

「阿公。」阿光跑到阿公身後，低聲叫喚著。

阿公呆愣了一下；然後，搖了搖頭，繼續往前走，還認命般地自我安慰，喃喃自語著：「命帶骨，用刀削不落。」

阿光聽不懂阿公在說什麼話，又叫喚了一聲：「阿公！」

阿公終於聽到了。

他閃過一絲驚喜的眼神，轉了頭，悠悠叫喚著：「阿光？」

「嗯！」阿光不知該說什麼才好，只是充滿興致，溜著眼珠子，對阿公瞧了又瞧。然後，伴在阿公身旁，一起走向溪邊。

阿公往前走了兩三步，又停了下來，側著頭，看了又看阿光，眼神中不期然的閃現出某種驚喜、訝異、好奇和難以相信的複雜情緒來了。然後，平淡無奇的說：「回來囉！」

那聲音，小心翼翼地，裏藏著阿公不便張揚的欣喜。

那聲音，聽起來就像似阿公對自己說著話，藏著某種自我提醒。

身旁的阿光，也停下步子來，微側著頭，對阿公燦爛的笑了起來。

泛黑的竹斗笠下，阿公對阿光點了點頭，暗暗的告訴自己：「真的。」

「真的是我的阿光。」阿公感到肩上的那一袋稻種，輕了許多。然後，微微仰起頭來，望了望赤炎炎的日頭，在心底暗暗的感謝老天。

*****

牛泡在嘩啦啦的溪水裡，嘴巴不停的嚅動、反芻著。

阿光看著阿公把布袋浸到溪水裡，卡在石頭間，就問：「阿公，你在做什麼？」

「泡稻種，催芽啊！」

「為什麼呢？」

阿公一聽，抬起頭來，看了看阿光。然後，站直身子，挺起彎彎的腰桿，望著嘩啦啦的溪水，說：「催出稻芽，才能育秧苗，好插秧。當然啦，插好秧，還得施肥，抓蟲，拔草，才會有金黃稻穗。有了飽滿的稻穗，還要割稻，烘曬穀粒，去殼碾米後，才有米可吃啊！」

「這麼多事呀！」

「是啊！生活不就是這樣。能忙，是好事。」阿公站在溪流裡，望著溪水，平淡無奇地說。

「好多事要忙喔！」

「嗯，過日子嘛，別瞎忙，就是好事。」阿公叨唸著，走回溪邊。

阿公坐在溪邊的大石頭上，拿下夾在耳朵上的香煙，在手背上輕敲兩下，點上菸，有一搭沒一搭的吸口菸，吐著煙圈。

阿光看到大石頭的陰影下，有一隻蝸牛正在無聲無息，緩緩地，爬動著。像似一動也不動地，爬動著。

他脫下鞋子，把腳泡到溪水裡沖涼，有一搭沒一搭的打著水花；嘴裡嚼上一節青草梗，聽著溪水嘩啦啦。

這時，萬般唐突地，爸爸的聲音，竟然乘著嘩啦啦的溪水聲，從暗啞無聲的記憶角落，嘩啦啦的蹦了出來。

大熱天的午後，西北雨總是來得急，去得快。

一陣劈哩趴啦的西北雨過後，蝸牛就會在菜園裡、牆角邊、泥地上、樹籬下，爬來爬去，留下黏答答、亮晶晶的痕跡。

這時，我們就會提著一只鏽破的奶粉罐，找蝸牛、撿蝸牛，給小鴨仔加菜，也給自己加菜啦！

這個故事啊，像一條寒風中飄搖的殘破蜘蛛絲，隨時會斷了絲線頭，沒了蹤跡；可它又頑強的牽掛在不清不明的記憶板塊，等著阿光，記起來。

這個故事啊，沾黏在某種想躲，躲不了，想逃，逃不掉的弔詭意識海裡，盼著阿光，回頭看一看。

可是，阿光啊，一碰上它，就不自覺地，搖了搖頭，像似要丟掉某種不想碰觸的東西，搖了搖頭。

然後，當他看向大石頭陰影下的那隻蝸牛時，又無心似的問著：「阿公，這裡的蝸牛，多嗎？」

「多——」阿公抽著菸，愣愣地，望著嘩啦聲響一去不復回的溪水，隨口應了。

無論如何，阿公再怎麼會想，也想不到；即使想破了頭，也想不到，早已離開田野，不知流落到何處的孫子，為什麼會突然回到身邊來，突然對蝸牛起了這麼多的好奇心啦！

阿光東張西望，好一會兒，又說：「可是，看不到啊！」

「看不到什麼？」阿公摸不著頭緒，反問著。

「看不到蝸牛啊！」

「躲起來啦！」

「為什麼？」

阿公沒再說話。

茫然的，阿光又問：「蝸牛為什麼要躲起來？」

阿公轉了頭，看了看阿光，又吐了吐煙圈，才說：「大雨打上身，會痛啊！」

「日頭天咧？」

「藏起來，匿起來啊！」

「藏起來，匿起來？」

「嗯，只能這樣啊！」

「怎麼會呢？」

阿公沒有回答。

他抬起頭、瞇起眼來，望向樹梢上的太陽，帶著些微的不平和難察的恨意，說：「日頭刺炎炎，不藏不匿，難道，要變成螺肉乾啊！」

可阿公才一說完，轉了口氣，流露出些許無奈，又說：「只能這樣啊！」

而阿光呢？

他雖然不知道自己的身體裡，到底留有什麼懸念？

可他就是掛念著蝸牛。

那一絲懸念，就像那些躲起來和早已不知爬到哪兒去的蝸牛，徒留黏答答的爬痕，喑啞晶亮的存在著。

於是，他的眼神，梭巡著蝸牛留下的跡痕，又問：「蝸牛，能躲到哪兒去？」

「這還不簡單！頭一縮，就躲起來，藏起來，哪有什麼困難。」阿公答得理直氣壯，像似斬釘截鐵般的肯定。

於是，阿光也就深信不疑，點了點頭。

可阿公卻又沉沉地，呼出一口氣，才說：「蝸牛時常躲在蕨尖下，睡覺。有時啊，藏匿在濕潤腐木縫裡，休息。有時啊，在枯草落葉底下，慢慢爬啦！」

「爬快一點，就不用躲了。」

「爬得慢，也沒什麼不好啦！」

「怎麼說呢？」

「慢呀，能躲開聲音偵測，避開危險，偽裝成不存在啊！慢呀，比較能夠無聲無息地，活了下來。」

阿光一聽，不禁轉個頭，看了看阿公，喃喃自語地說：「原來，慢——，也有好處，而且，還是求生術啊！」

「是啊，這世間事，總是有快有慢，有黑有白，相生相對，並存著。」

阿光彎下身，低下頭，探向大石頭的陰影下，尋覓蝸牛。

可是，那隻蝸牛早已不見蹤影啦！

*****

阿公在閒聊中，抽完第一根菸了。默默地，他又從口袋裡，掏出長壽菸盒，點上菸，吐出一堆煙圈，把自己埋藏在煙圈裡。灰茫茫的煙圈，一圈圈擴散繚繞，把滿頭灰白髮的阿公，完完全全的埋掉了。

「難道，阿公也像蝸牛，有一套不得不的蝸居術。」阿光不禁難過了起來。

「咳、咳、咳。」阿公乾咳了幾聲。

「這長壽菸，其實是短命菸啦！」

他邊說邊在石頭上，捻熄沒抽完的菸。然後，把菸頭丟進溪裡。菸頭載沉載浮、幾度翻轉後，就隨著溪水嘩啦啦，消逝無蹤了。阿公不禁感慨的說：「長工望落雨，乞食望普渡。」

阿光聽不太懂阿公隨機溜出口的俚語，可隱約中，他又似乎懂了些什麼，喃喃重複著：「長工望落雨，乞食望普渡。」

「阿公，你咧？」

「啊？」

「你希望什麼？」

阿公搖了搖頭，沒說話。

於是，阿光站了起來，面向溪流，用力地吐去，已被嚼爛的青草梗。青草梗，在溪水中載沉載浮、幾度翻轉後，也隨著溪水嘩啦啦，消逝無蹤了。而且，在溪水的迴響流光中，阿光瞥見了光影的變化，時間在走動。

於是，他默默地思量著，人啊、牛啊、稻苗啊、白鷺鷥啊、小鴨仔啊、蝸牛啊……，似乎都周旋在時間中，忙碌著。

而時間啊，在阿光思量中，在阿公泡稻種、抽菸和聊天時，偷偷溜走了；也在蝸牛爬行、白鷺鷥飛翔、牛犁田、小鴨仔搶食物、爸爸說故事中，……靜靜的更迭，流逝而去了。

然而，阿公是不是在忙碌中，忘了時間，忘了想望呢？自己是不是在忙碌中，忘了時間，忘了阿公呢？

「哎，甭想了。」阿光默默地自我暗示著。

他似乎知道了些什麼；帶著難以察覺的憂傷，似乎懂了些，不知是什麼的什麼了。

08

穿越時間隙

他們不必處心積慮地，想方設法，策動逃脫計畫。

因為，那是多此一舉。

那是徒勞無功。

根本無用。

時空旅人，仍困在大廣場裡，哪兒也去不了。

「哞——，」硬生生的聲音，像是從牛那兒來，卻又不像是從牛那兒來。可那硬生生的聲音，把阿光從懸念和玄想中，喚了回來。

阿光回到了大廣場的現實，不想多耗時間，直白地說：「牛大哥，拜託啦，讓我們過去。」

真是難得啊！阿光說得，如此直白。

「沒有人，能過得了時間鐘。」似乎是牛在說話，又像是所有的動物，都在說話。

「誰說了時間鐘？」以行敏感的追問了起來。

「沒有人，能過得了時間鐘。」話聲又起，這次像似馬在說話，又不像是馬在說話。

「時間鐘！」以行困惑地，在心底盤旋了一下，又焦急的問著：「誰？是誰在說話？」

大廣場放蕩著，無所事事的時間，沒有聲音回應。

旅人摸不著頭緒。

「你們是十二生肖吧！不是嗎？」以行在百般困惑和焦慮下，少了信心，猶豫不決的問。

「吼——，」老虎一聽，突然張大口，晃動著大虎頭。

旅人震驚不已，連連退後三兩步。

「十二生肖，什麼鬼玩意啊！」話聲又起，像老虎在說話，又像所有動物在說話，「我們是時間，也不是時間。」。

以行稍緩了驚嚇，心想著：「老虎張口叫，總比老虎張口咬，可幸運多了。」就應了一句，「聽不懂耶！」

旅人暫時沒有及時的危險性，就不再那麼害怕。而且，少了情緒的干擾，就更有思考能力，更能動腦筋，想法子脫困啦！

「生肖是時間，也不是時間，這個我懂——」阿光邊說、邊使眼神，暗示了以行和稚盈，轉向閒閒漫步的公雞方位去了。

這時，表面上看來，雲淡風輕，什麼事都沒發生。實際上，旅人趁機眉來眼去，暗傳訊息。他們之間，正曖昧的策動下一波行動，試圖衝出關卡，闖出活路來。

突然，「衝啊——！」難以預期的喊聲大起；旅人衝，旅人跑，揚起滿場漫飛的黃沙，混了氣息，矇花了眼。

旅人們，一次次使勁闖蕩，賣力嘗試，勇猛冒險，卻仍只是在黃沙漫漫中，自我呼嚨來，呼嚨去，團團轉罷了！

他們壓根兒，就是白跑、白衝，白忙一場。

他們仍被困在風起雲湧，黃泥沙漫飛的大廣場裡；茫茫然，尋不著出路。

困在時間鐘裡，無處可逃，無處可去！

「怎麼會這樣呢？」稚盈挫敗地說著。

「不這樣，還能怎樣？」沒有任何防備意謂的話聲，聽聞起來似雞鳴，又像似動物們的和聲，波動而出的奇異話語。

「這時間鐘，怎麼會滴水不露，沒漏洞？」以行觀察著周遭情境，暗自打量著：「時間鐘，既然是鐘，肯定該有個樣子，有個邊境，不是嗎？」

就在這時，公雞帶著淺淺地微笑，輕鬆地說：「還想逃？」

話音一落，以行一陣驚心。

他萬萬沒想到，自己還沒出聲，沒說出口的話，竟然也被看破了心機。然後，又聽到了十二生肖一起發聲：「想趁機溜走？」

真是氣餒啊！

旅人真的無法了解，時間鐘看來明明是漏洞百出，怎麼又會是如此緊密紮實，讓他們衝不過動物的包抄，突不破牠們的終極防線。

「我無翅卻會飛，飛得快過箭。」似蛇，又不似蛇的話聲，嘶嘶波動在黃沙漫漫的大廣場上。

阿光一聽就有氣，暗罵了起來：「死東西，沒手沒腳還能爬咧！」可他又不敢大意，硬是擺出一副嬉皮笑臉，「你是在說我們，插翅也難飛，逃不了？」

不用事先盤算，沒有暗示，稚盈也跟著嚷嚷，說起謊來了。「不逃，我們不想逃。」

這到底是怎麼一回事呢？

以行垂著頭，抓了一把額前的瀏海，焦慮的踱起方步來了。

可是十二生肖，個個無事樣，閒閒地，把他們困在圓圈中，懶得搭理他們了。

*****

真是尷尬啊！

旅人困在時間鐘，根本就是被挾持了，無事可做，無處可去，可真是無聊又無趣呀！

時間滴答滴答毫不停歇，旅人困在時間中，真的無技可施了嗎？

喔，不！

旅人在無聊和坐立難安中，誇張的玩起剪刀、石頭、布；剪刀、石頭、布；剪刀、石頭、布……；一二三，木頭人；一二三，木頭人；一二三，木頭人……；還有其他有的沒的，各式各樣的遊戲，好來排除無聊，消磨被挾持在時間鐘裡的光陰。

旅人玩啊玩，越來越會玩花樣。

大廣場上，似乎多了許多孰悉的動漫角色，有悟空、櫻木花道、無臉男、霍爾等，不期然的一一現身在黃泥沙地上，穿梭其間。旅人興奮地尖叫、嘶吼、追逐著偶像，開心的不得了。沒多久，刀光劍影，變形金鋼、大腥腥、八腳異星人等，統統出籠，飛天遁地，旅人又面臨了焦土大戰。

旅人無法多想，只能臨機因應，無法多說，只能隨心化緣。他們玩得忘了這兒是哪兒，忘了困境的荒謬，忘了會不會，行不行，該不該，直覺地，靠著顛晃的身軀，顛晃著飄移的腳步，打起無形無意的醉拳；忙著從這兒，移動到那兒，忙著逃避無聊，避開危險；忙著在黃沙漫漫的時間流中，看見四季遞變的美景，用心收集，難得現象，覷一眼世界的驚奇中，還不忘，暗地裡，尋找出口。

旅人玩啊玩，花樣越耍越花俏。在翻滾的沙塵中，竟然，還能把玩著粒粒沙塵，建構出超凡脫俗的沙塔；或者，手握一把黃沙，輕輕地，灑下粒粒細沙；一下子，是花朵、樹木和充滿生機的森林；一下子，是大雁，排著人字型的隊伍，勇健的打著翅膀，向南飛去；一下子，是情侶，相依相慰，難分難捨的浸淫在幸福的月光下；一下子，是媽媽高舉著稚子，飛向藍天，和白雲問好；一下子，是鶴髮雞皮的老人，獨坐窗前，遙望著空茫……

細沙呀，瞬間，幻現了風光無限的千山萬水，空靈靜美的超然意境；而那無

限幻化的千山萬水，絕美境界，也毫不留戀，毫不猶豫，瞬間，更迭，幻滅。

同時，旅人忙著，看一看，瞧一瞧，探一探，大廣場的樣子，肖想闖出個大名堂，逃離時間鐘的境域，跳脫時間鐘的禁制；模模糊糊中，還竊喜著自己像似正在攀登高峰，正在征服浩瀚大世界，積累一些有形有色沉甸甸的華麗存在。

偶而，旅人又忙裡偷閒似的，飄搖在某種虛無飄渺間，而不知該看什麼，該找什麼，時而發呆，時而思考，時而迷離，時而困惑，在心底騷動起自我衝突和隱隱不安。

有時，他們也會埋頭找啊找，追啊追，可一停下步子，猛一抬起頭來，細細地，看進漫漫黃沙中，卻猛然驚心，懷疑起自己，到底在忙些什麼？在追逐些什麼？

茫茫然，旅人還真不知，這些個變來變去，終究像似夢幻泡影般的追逐與忙碌，到底是為了什麼而來？有何目的？

無論如何，旅人越是認真的玩了起來，這大廣場的世界，也就變得越大。

而旅人呀，因而變得越來越渺小了。

無論如何，旅人在時間鐘裡，盡興的玩著、專研著、沉迷遊戲中；還澈底地，把十二生肖給忘了，把牠們當成空氣了。

然後，他們終於獲得某種自以為是的自我存在感。

得意極了！

可時間啊，滴答滴答，不停歇！

那些個再好玩、有意義、多情趣的遊戲啊，總是旅人用寶貴的生命時間，換取得來的存在，不是嗎？

而得意的旅人，在彼此的身上，免不了的，看見了越來越大的僕僕塵衣，逐漸消逝的好奇心，逐漸老去的笑容，逐漸淡薄的童心童趣，就無法一直把十二生肖，理所當然的看成空氣，視若無睹。

旅人忘不了真切的事實，那就是仍然困處時間鐘裡，哪兒也去不了。

哪兒也去不了啦！

隱隱約約中，他們仍舊擔心著，一直困在時間鐘裡，就會坐不上時空梭，完成不了時空任務。

他們害怕著，時空旅程會被自己的遊戲，呼嚨混過，輕易玩完了。

他們恐懼著，時空旅程會被自己矇成了夢幻泡影。

沒了。

*****

突然，戰士就有了料想不到的驚鴻一瞥，難以預期的莫名衝動，讓自己有了某種程度的醒覺；有了莫名驚心的剎那，痛擊猛刺了敏感神經，進而，抽搐式的猛搖了搖頭，提醒自己。

「這是時空旅程。」

「可別發昏，別再睡了。」

於是，他們又忙碌、執意於尋覓逃脫時間鐘的縫隙。

可是，他們想來想去，想不出更厲害的好法子。只好，在空曠的大廣場，扮演起老鷹捉小雞的戲碼，暗中尋覓時間鐘的脫逃空隙，欲想自由自在，活了出來。

活出來。

他們東奔西跑，竄過來、竄過去，滿場撲撲飛中，時間也滴答滴答，不停地消逝而去了。

龍看著他們的狼狽樣，又出聲了。

「不錯不錯，追逐蹦跳有活力。不錯不錯，多跑幾圈熱鬧熱鬧。但是，想逃

出這個時間鐘，別做夢！」

以行聞聲，轉頭定定地，看向巨大的龍頭，可又百般不確定，剛剛真的是龍在說話嗎？

「這到底是怎麼一回事呢？」

經過這一問，以行的腦海裡，飛逝過一個聲音，「蠢啊，龍子。」

「龍子？」以行無意識般的叨唸著，同時，投注了某種像似自我期許的情感和關注，然後，意識持續波動，堆疊出小浪頭。然後，他有意識的思考後，慢慢道來：「雖然，我不知道龍打從哪兒來，不過，龍總是帶給人超凡的希望，不是嗎？」

「哎，極為稀少的奢望啦！」稚盈垂頭喪氣，全身無力的應著。

「極為稀少，卻仍有個小星點，可供冀望，不是嗎？」

「或許是吧！」稚盈百般無奈，卻無力否定數千年來一脈相承的情感記憶。

剎時，阿光也有了直覺的回應，大大提振起精神，而嚷著：「沒錯！」

「一點也沒錯！」

這時，小星點冀望，突然，點燃曙光來了。

這曙光，讓阿光又神氣活現，活了過來。

於是，龍族的忠實粉絲，說起大話來了。

「敢打賭嗎？我們偏要出去，給你們好看。」

「喔，有戲可看啊！」

「那就快來一段好戲吧！」

剎時，戰士愣了！

「沒戲唱了嗎？」

旅人愣著。

喔！不——

更精確來說，這時，旅人感受到某種氣場的流動，某種物質流動的磁吸力，讓自己連結上十二生肖，讓自己和莫名龐大的暗黑能量，有了一種整體的聲氣相通，因而全身上上下下，生發出一種戲感來了。

那是一種活生生的戲感；是一種絕然全新的生命體驗。

而且，對以行來說，剎那間，他似乎又擁有了，在野地裡，曾經擁有過的，片刻恆定感的難以思議，而猛然驚心。

他心悸了一下。

「可別光說不練喲！」像似猴子在催，又不是猴子在催。

而且，聲波一出，話兒一催，時空旅人就著魔似的，害起頑皮猴性來了。

一下子，學著雞飛狗跳。

一下子，虎撲羊踢。

一下子，馬奔牛犁。

一下子，蛇爬龍舞，不停地，玩著變身遊戲，體驗著，破天荒的剎那荒謬存在。

而這時的大廣場，黃泥地是黃泥地，空氣清新舒暢；周遭的綠樹紅屋，看來可真是毫無突兀的，渾然一體，恆定地，存在著。

一切無比自然，本該如此地，存在著。

然後，旅人全身帶勁，即興的飆歌熱舞起來了。

噢——嗚——，噢——嗚——。

放下放下，放下放下，放了吹了輕了飛了，嘻哈！

放下手機，放下算計，放下鼠牛虎兔和一切嘔吐。

放下球衣，放下評比，放下龍蛇馬羊和裝模作樣。

放下書本，放下技藝，放下猴雞狗豬和糊里糊塗。

放下放下，放下放下，去了廢了毀了滅了，噢嗚！

哈哈噢嗚，噢——嗚——去了廢了毀了滅了，

噢——嗚——，噢——嗚——。

時空旅人猴性一起，洽似瘋癲狂妄，無情無理，無天無地，無我無他下，放蕩的玩把戲，趕無聊，殺時間，恣情放意到了極點咧！

他們但覺，輕鬆無比。

而桃源村落的人群呢？

他們好像都回到小屋舍裡，潛入睡夢時空，沉睡著。

至於，這時的十二生肖，更是一副沒事樣的，自在極了。大牛蹲坐黃泥地，反芻了起來；兔子伏在綠樹下，垂著長耳朵；豬打起盹來，發出呼嚕聲；雞飛到綠樹梢，蛇在樹根旁，盤起身體，像是入定啦！

*****

時間鐘，看來沒了樣了；旅人，看來自由自在極了。

然而，未竟的時空旅程，仍在旅人的心底，靜默地，晃悠。

可時間滴答滴答，不停的老去。

旅人無知無覺地，莫名心慌起來了。旅人終究面臨了，身不由己的現實壓力；思慮起，被圍困在時間鐘裡，哪兒也去不了的萬般窘境了。

這時，戰士們環顧著周遭一切，掃視著散漫自在的動物們，心知肚明的以為機會來了。於是，你看我，我看你，彼此傳遞，不言自明的訊息來了。

他們緊緊靠近，臉頰貼著臉頰，暗商奇兵突襲計謀，要讓敵方來個措手不及，以便脫困。

「一次，只有一次機會。」他們用手指示意，相互提醒著。然後，在大廣場裡，兵分三路，心底暗數步數，卻佯裝出萬般無聊地，伸伸腿，甩甩手，伸展著僵硬無趣的身軀，隨興地，晃著無所謂的散漫步子。

然後，不期然地，使盡全身蠻力，縱身跳躍而起，試圖衝破天際線，突圍而出，

闖關而去。

可是，當他們鼓起萬丈豪情，猛力一躍，試圖彈跳飛躍出禁地時，卻鏗鏘一聲，

砰——

天啊！戰士撞到無形天網了。

剎時，一片銀灰的光芒，傾瀉下來，清清楚楚地，映現出旅人，被彈回拋擲摔落地面的不堪狼狽樣。

旅人們，你看我，我看你，滿眼流露出一副腦殘樣；竟是難以思議的困惑、質疑、驚慌、恐懼和措手不及的萬般慌亂；眼睛被鹹濕巨浪偷襲，被紅色浪潮襲擊的快要淹沒時，硬是在某種堅持意念的苦撐下，硬擋住淚珠。

「不准落淚。」稚盈，旋即轉為一臉執拗，痛得哇哇大叫：「怎麼會這樣呢？」

阿光邊用手搓揉著頭上腫起的大包，邊罵著：「什麼鬼東西，硬得像鉛球。」

以行顧不得疼痛，直覺的仰頭一看——

可他不看還好，這一看，竟呆住片刻，才蠢蠢地，從牙縫裡擠出話來，「我們遁入星際太空嗎？」

稚盈一聽，忘了疼痛，猛抬起頭，尖叫而出：「星球，滿天星球。」

「星球的微光，還畫出圖來哩！」

「看清楚點，那微光不僅是圖，更是字哩！」

「一顆顆星光字。」

「我們撞出一顆顆星光字來了！」

「天啊，甲、乙、丙、丁、戊、己……，」

「還有，子、丑、寅、卯、辰、巳、午、未……」

「咦，那不就是配來配去，兜成一甲子六十年的天干地支嗎？」

「不只這樣，你們看那邊。」

「那是千禧嗎？」

「那星光輝映出來的字圖，還真錯綜複雜。不過，經你這麼一提，越看就越像是千禧。」

「沒錯，這邊還有世紀哩！」

「這邊像是佛曆。」

「哦，它們都是計算時間的單位呀！」

「或是關於時間的東西啊！」以行坐在地上動彈不得，無力的說著：「我們

真的被困在時間中了。」

然而，誰不是呢？

稚盈剎時失去了所有的動力和希望，不再探索天網上的星光字，頹喪地癱倒在地，一動也不動。

癱屍般地，一動也不動，躺成星輝下隆起的小土堆。

*****

時間，靜靜地流逝著。

那鏗鏘撞擊的大砰聲，驚嚇了旅人，也引來動物們的關注。

「不論星球、山川、大地、人，都困在時間中……」是豬的呼嚕聲波，又不像是只有豬在呼嚕。

「完了！」以行洩氣極了。

「這是時間鐘，也不是時間鐘。」渾沌聲音又起。

可這時的以行，完全不在意，是誰在說話，誰說了什麼啦！

他兩眼無神，死盯著無數無數的星光球，共同撐起的天網，絕望地說：「困死時間鐘了。」

稚盈一聽，萬般心驚地，重複而出：「困死時間中了！」

她絕望地，環視周遭；無力再思，無勁再想，該如何跳脫，一再苟延殘喘的無情窘境。

放任一切無情窘境，苟延殘喘。

無動於衷地，環視著。

可不！

就在稚盈的無心環視中，突然，一個意念波動了；直想脫逃的意念，又波動了起來。

她在直想脫逃的意念波動下，試圖振作自己，意圖從糊成一片的腦海裡，擠壓出意想不到的好點子。

然後，她的企圖意念，劇烈波動了起來，波動出高高的浪頭來了。

她不知不覺的，停駐在馬的身上，來來回回的多看了好幾回。

突然，她不服輸的大叫了出來。

「我們要有龍馬精神，自強不息。」

以行馬上被她強而有力的聲波打到，同步似地，連結上她的意念波，被她的話語激勵到了，回了回神，看了看馬，而找回信心，生出力量來了。

「沒錯！會有辦法的。」

阿光也雙腳一彈，像飛龍在天般，昂揚站立起來。

「辦法是人想出來的。」

有夢真美。

可動物們，毫不理會旅人的勇氣與精神。

「沒有人，能逃出時間鐘，……」像兔子，又不像兔子在說話。

恢復鬥志的以行，又專注地，想找出端倪了。

「誰？是誰在說話？」他吶喊著。

有那麼一下子，確實沒有任何回答，然後，毫不在意的緩慢聲音，波動著：「除非……」

話音一落，以行不由自主地被牽動，也張口出聲：「除非……」

可話音一出，他就被自己的聲音，驚擾到了！

他被自己的聲音，驚擾出某種內在警醒。

自我警醒地，暗叫：「停！」

停！

瞬間，他不動念、不思想；不被當下的外境牽連帶動。

停。

他停在剎那剎那間的時間空隙裡，停在說話、動作、思想中的無思無動的那個當下裡；靜定、轉口提問，「除非怎樣……」

「除非找到時間隙，才能走出時間鐘。」像羊在說話，又不像羊在說話。

旅人欲想自救，努力不懈著。

以行專注、慎重地問著：「找到時間隙，就能走出時間鐘，是嗎？」

「沒錯！」

他了然於心似地，提綱契領，直契核心，又問：「什麼是時間隙呢？」

「時間隙，是時間的起點，也是時間的終點。」像馬在說話，又不像馬在說話。

稚盈契入以行的思維之流，不禁追問著：「時間從那兒開始，就在那兒結束嗎？」

「是，那兒就是時間鐘的出口。」像羊在說話，又不像羊在說話。

「在那兒，時間就沒了。」老鼠吱吱叫著，又不像老鼠在吱吱叫。

「沒了時間？」以行專注地問著、想著。

「在那兒，不會有過去、現在、未來的分別。在那兒，只有永恆，真實的存在。」像似猴子在說話，又不像猴子在說話。

這時，所有的助力，自自然然匯聚而來，形成良善的大能量，催化著時空戰士的悟性，能有跳躍性的心靈昇華。

這時，稚盈以為時間鐘的出口，即將呼之而出。她儼儼然，想搞清楚，出口到底在哪兒？

這時，以行一點也不在乎，是誰在說話了。他靈光一現，看出了端倪，就不假思索，率真的說出：「哈，露出紅屁股了。」

可稚盈料想不到，以行會用如此唐突的話來打岔，心中閃過一絲尷尬，就免不了來點輕責：「怎麼這樣說話呢？」

但是，她似乎也窺視到了，某種不尋常的蛛絲馬跡，某種本來就存在的真實了。

「以行，你的葫蘆裡，賣什麼藥呢？」

「我們明明看見了十二生肖，可是，他們偏偏又說『你看到的樣子，不是我的樣子』對吧？」以行說。

「對，那又如何？」

「猴子說話，不像是猴子在說話；牛在說話，不像是牛在說話；龍……」

「龍在說話，不像是龍在說話，這個我們也看到了，可是，你到底發現了什麼？」

「時間鐘的十二生肖，分別是個體，卻也是一個整體。他們心連心……」以行機靈地轉動著思緒，冷靜的說著。

「胡說八道！個體就是個體，整體就是整體。個體和整體，對立存在。這是基本邏輯，好嗎？」

阿光再也聽不下去，焦急萬分的駁斥著。可他一嚷完，又不自覺地，搖了搖頭，困惑著。

「阿光，別急！我們先聽聽看，以行如何說。」稚盈似乎抓到以行的弦外之音，幫他緩頰。

「以行，現在，最重要的事，就是找到時間隙，對吧！」

「我知道啦！」以行認真的應著，想著。

阿光沒多說話。

以行專注地，想了又想，才說：「個體和整體，會有對立存在，也會有相互依存的關係。」

「嗯，有白才有黑，有黑才有白；可這黑和白的對立存在間，也會有一大片一大片的灰黑灰黑，千千萬萬個黑黑灰灰、銀灰和灰白等的存在，還能生出萬紫千紅來啊！」稚盈也啟動了從來未曾有過的周全思維能力。

「記得關主任曾經說過的『無』嗎？」以行胸有成竹的說著。

「不記得。」阿光有點洩氣了。

「你是說他的繞口令？」稚盈依著自己的記憶，似乎記起來了。

可萬萬沒想到，以行竟然還能緩緩地，吟唸出來：

無就是我，我就是無；
一無是處，一無非處；
無一是處，無一非處；

是無一處，處是一無；
處就是我，我就是無。

然後，他絞盡腦汁，有理路的說著：「有了個體，才能成就出整體；有了整體，才有個體存在的空間。至於，整體呢，是不是也該要有個空間，才能讓整體存在，不是嗎？」

「整體，也要有個空間，才能存在。」稚盈帶著驚訝的表情，認真思索著這個驚人的全新發現。

「那麼，哪裡才能讓整體存在呢？」阿光搔了搔頭，然後，食指轉了轉他那頭像刺蝟般的剛硬短髮，十足是想破頭，也想不出來的蠢樣子。

以行全然投注，認真的想著。

他直想搞得清楚，如何才能讓自己更明白些，說得更清楚些。

他想了又想，似乎擁有了超越原本對物質的觀看視角，窺見了時間鐘的隱喻，轉而直驅探究那種屬於抽象虛無的存在了。

他的意念，無比專注，強而有力的跳躍波動著。

「時間鐘是鐘，對不對？」

「嗯，似乎可以這樣說。」

「鐘上會有些小東西……」

「這個簡單，時針、分針、秒針……」

「還會有數字或圖案，但是，它們跟時間隙有何關係呢？」

「那麼，我們換個方法來思考，鐘會不會告訴我們過去、現在、未來？」

「會啊！」

「換句話說，因為時針、分針、秒針的分別，我們才會有準時、早到、遲到的想法。」

「確實是這樣。」

「所以，三支指針和鐘重疊在一起的地方……」

「對呀，確實有那個地方。」

「那兒，沒有過去，沒有現在，沒有未來。」

「那兒，就是時間的開始，也是時間的結束。」

「或者，那兒，沒有開始，也沒有結束。」

「那兒，時間沒了。」

「沒了時間。」

「那兒，就是時間隙。」

「就是永恆。」

這會兒，旅人的頭腦和心對焦了，眼睛全亮了起來。

剎那間，他們明白了。

他們不再想著，該如何避開十二生肖的圍堵；不必處心積慮地，想方設法，策動逃脫計畫。

因為，那是多此一舉。

那是徒勞無功。

根本無用。

於是，旅人們放下了無助，放下了無奈，放下了焦慮，放下了算計，放下了困惑，放下了想方設法，放下了遊戲，放下了一切的起心動念。

放下了，欲想放下的意念。

放下意念。

放心的，朝向時間隙，走著。

走在本來就在的大道上。

本來，就是。

瞬間，有了一種恆定感。

瞬間，醒覺。

就這樣，旅人穿越了時間的縫隙，逃出了時間鐘的監禁，遁入永恆的無歧地。在無歧地，旅人體悟了像大樹、像小花、像黑狗、像白鷺鷥般，無感、無看、無聽、無說、無想，更是無不感、無不看、無不聽、無不說、無不想的存在；體悟了當下，一切沒了；沒了感覺，沒了時間，沒了空間，沒了思想，沒了欲望，回家了。

難道，旅人沒了？

不，旅人覺醒一次，就顛覆自己一次，不再有原先的執著，不再繼續舊有的作為。然而，無歧地，是所有生命的本來，無所不在；它，超越時間，超越空間，一直都在。

因此，旅人仍在。

那麼，時空旅程，完了？

不，旅人只是剎那間輕輕鬆鬆地，跳脫時間鐘，回到無歧地，體驗了當下，獲得不同的看見。至於，漫長的旅程，還是路漫漫，還等著旅人去面對，去挑戰更深更深的看見。

旅人在一次又一次的醒覺中，就會愈來愈有勇氣，顛覆自己，超越自己，一步步地接近自我生命的核心。

09

虛擬牆的挑戰

難道，它是時空梭的守護者？要試煉旅人，是否具有足夠勇氣，去面對旅程中的關卡？

還是，它是時空旅人的監督者？要監督旅人，是否有足夠的勇氣，去撞開自己的心牆，擁抱跳躍性思維的智慧？

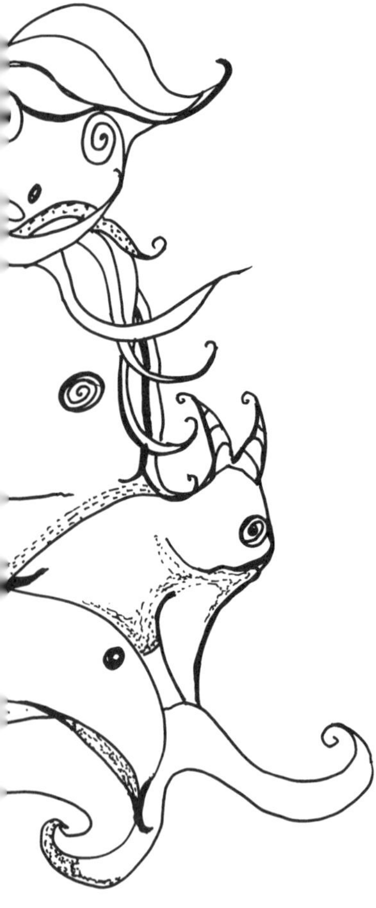

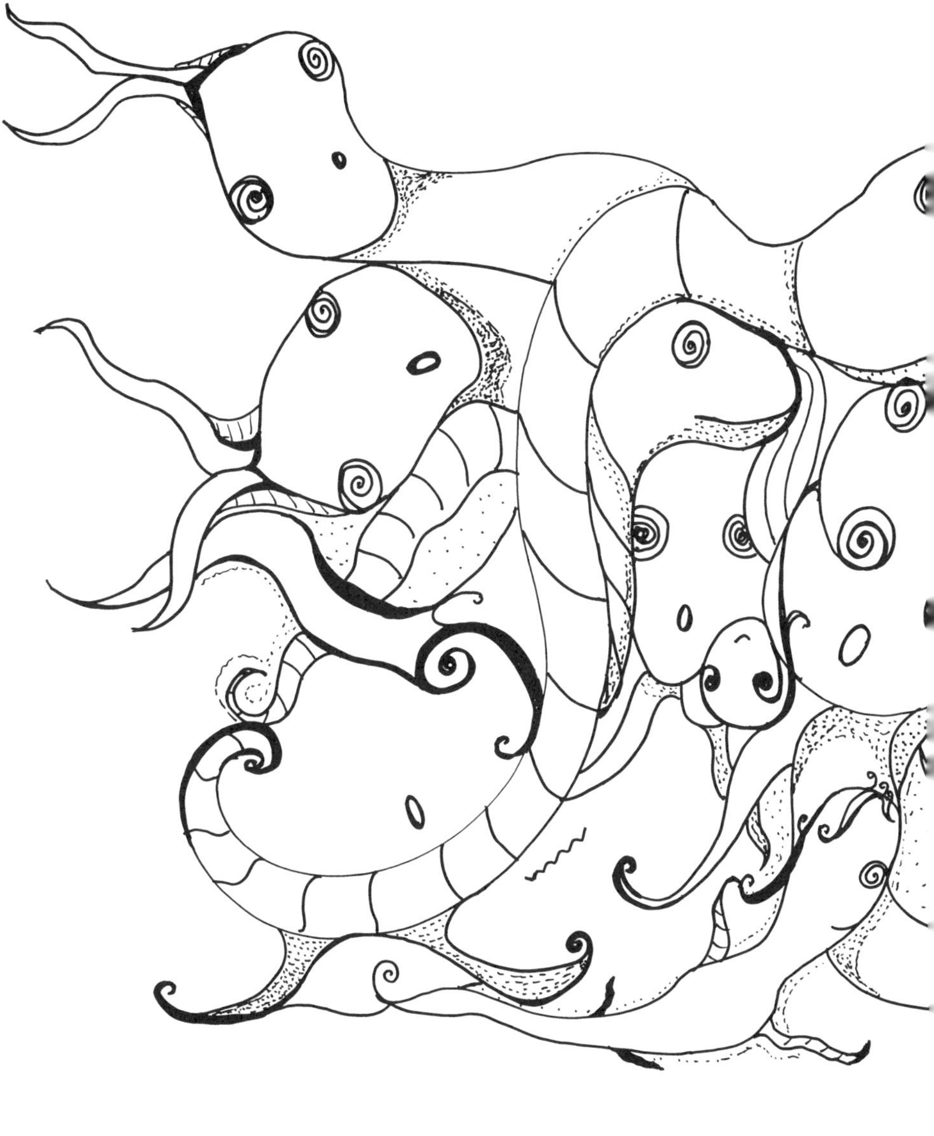

時空戰士一路風塵僕僕，繼續時空旅程，前進古堡。這時，專員早就不見了。衛星導航，似乎失效了！

或者，還沒啟動？

唯有太鼓聲，咚咚咚，沉穩無歇，一直從遙遠的地方傳了過來，直接敲在旅人的耳膜，響在旅人的心頭。

然後，旅人來到人跡罕至的時空，一眼望去灰濛濛的，像似有著難以透光的厚氣層，擋去了絕大部分的陽光，看來就像被人遺忘已久的大荒野。

在這空曠無垠的大荒野，旅人沒有一絲一毫的壓迫感。他們張著肉眼，放眼望去，只見空曠乾裂的石礫土地，訴說著亙古的無垠老邁歲月，枯黃的草地塊，東一塊，西一塊，零零落落，穿插著幾棵看來實在不怎樣的小灌木。然而，在旅

人的粗糙視覺感官下，其實真的看不了多少東西，而那些矮樹叢，看來似曾相識，卻也說不清，到底是什麼樹。

隱隱中，旅人有一股超強的信念，放任了自我，讓心漫遊。

他們相信，心，就是知道方向。

心，就是知曉，古堡安靜地坐落在這片滿佈沙塵，不見人間炊煙的空曠大荒野裡。他們隨著心的引導，沉著的向前行去。

行向無歧地。

終於，古堡現蹤了；億萬年大腦核心機體般的古老存在體，現蹤了。

他們舉頭遙望，古堡幾乎要被盤根錯結、異常粗壯的千年藤蔓淹沒了。

那些千年藤蔓毫無忌憚的在古堡上，竄生出像臉盆大的綠葉，繁複的嫩綠卷鬚，穿梭在風化石塊和巨貝化石等有的沒的華麗幻象中，盤據在雄渾高聳，卻又殘破不堪，還四處橫躺著殘繭朽體的對稱列柱和雕塑山牆上，遮蔽混淆著，古堡的真正樣貌。

然後，旅人再細細一瞧，原來啊，這些粗壯的千年藤蔓的意識，是以著微細到難以看見的自然生命力，以著頑強意志的極微粒子，以著不可思議的迂迴路徑，以著最謙卑、最細微、幾乎不在的存在力量，絲絲縷縷，點點滴滴，竄入古堡的石頭縫隙裡；解構著，無比古老的自然堡體。

而且，在漫長無垠的時空中，難察的極微粒子，持續波動，組構著一切；無聲的，敲擊著堅硬無摧的亙古巨石；無動的，犁割著雄傲巍峨的山牆石柱；滲透著，某種不明的暗黑質素；建構著，無比雄偉的人文堡體。

旅人抬頭仰望這無比雄偉的古老存在體，實在是無從想像，這些粗壯的千年藤蔓，到底歷經了一段什麼樣的過往歲月，才能如此這般，纏繞在古老的有機存在體上；他們難以預料，在可能失落歲月裡，會不會有哪些因緣，因為一時的疏忽、不察，而掩埋掉，極具關鍵的環節，讓人澈底遺忘了本來，悟不出本來該有的樣子，而成了某種千古的遺忘，沈積在潛意識底層，成了無知無覺的亙古存在，成了某種本能。

無論如何，千年藤蔓，藉著自我意識的玄思憶想，在這個有機古老存在體上，進行著，光合作用的緩慢生長，義無反顧的抓攫纏繞；積累著，綿延不絕的意識能量，輾轉鑽入強烈意念；鼓動著，恣意的組構創造，幻化出像當代科技般的龐巨大物；同時，撐構護架著，大荒野中的億萬古堡體。

而且，不必多說，不曾明言，千年藤蔓與億萬古堡體，兩者就這樣，你儂我儂，微妙的成為渾然一體的穩固存在魂魄，誓死攜手，同奔地老天荒。

「是這兒嗎？」阿光滿臉質疑的問著。

「除了這兒，沒有哪兒可去啊！」

「這兒，就是古堡。」

「這兒，就是目的地。」

以行仰頭瞇眼，探看山牆上依稀可見的雕刻，讚嘆著：「好個億萬古堡啊！你們看，那山牆上的雕刻，像是海神波賽頓，騎著擺尾的大巨龍，呼嘯著白色海浪，萬里奔騰而來。」

「在我看來，更像似海龍王，從那難以窺見的海龍宮，使喚著，千軍萬馬的浪頭，帶領著，蝦兵蟹將，奔馳而來呀！」

「你們看，山牆下隱約有三個褪色的方塊。」

「那應該是字吧！」

「哪來這麼繁複的字！」

「可那是什麼字？」

「時空堡。」

「真的，還是假的？」

「假不了，那是九疊文。」

「天啊！真的是時空堡。」

「可是，時空梭在哪兒？」

「就在裡邊。」

「時空梭在時空堡裡，聽起來蠻合理。可是，我的眼睛，卻怎麼看，也看不到啊！」

「直覺告訴我，就在這兒。」

「憑你的直覺？」

「對，憑直覺。」以行聳了一下肩膀，雙手一攤說：「就這樣啊！」

「可是，時空堡的入口呢？」

卑微的旅人，在雄傲巍峨的億萬堡體週邊，東覓西尋，欲想快快地找到大門。

可是，他們見不到，任何可以前進的路徑或行道。

孤獨的旅人，在堂皇繁複的列柱陰影間，徘徊躑躅，直想迅速地找到大門。

可是，他們見不到，任何可以前行的縫隙。

這時，萬般突兀地，阿光又問：「以行，宇宙探發局專員呢？」

「幹嘛又問起他？」徬徨的稚盈，感到煩悶不解。

「我說過了呀！原先，我跟著他，進入密林。可是，我開心地，往前跑了幾步，一不注意，他就不見了。」

「你跟丟了啊！」

「是啊！就是這樣，我才在綠草地上，搞得滿臉烏青。」

「是喔！你沒吭一聲，就先離去，害我們差點迷路。」

「放心啦，我們已到古堡了。」

「可是，找不到古堡入口啊！」

「小心！」稚盈不明就裡，卻帶著某種自我警醒與覺察，即刻出聲，提醒旅人。

沒錯！

在時空旅程中，旅人可要步步小心。因為，一旦稍稍掉以輕心，記憶體裡的黑色魅影，就會趁機張牙舞爪起來。還好，以行有了友伴的提醒，立即警醒自我，說：「這一大段旅程，看來終究只有我們自己，不是嗎？」

「沒錯，只有我們自己。」

「我們是時空旅人。」

「這樣啊！」

「就是這樣啊！」以行的喃喃自語，越來越小聲，然後，無聲的呢喃著，「或許，這一切只是想像而已！」

突然，稚盈開心的叫嚷著：「你看，這兒有點蹊蹺。」

她伸出手來觸摸探視，「這兒像是有個洞，裏頭像似有個特別鑲嵌。」

以行一看，信念又指揮著他，「做，就對了。」

他二話不說，倒像似憑著直覺，一掌拍打下去，掌聲一落，應了一聲「喀」，大大出人意料之外，竟然彈跳出一盒像積木的石方塊，挺怪異的。

「這會是門栓卡榫嗎？」

「連門都沒有，哪需要門栓卡榫。」阿光的不安，讓他嘮叨著讓人洩氣的話語。

以行沒多說什麼話，積極地，移動著盒內的石積木，期盼拼出個進路來。

以行和稚盈，急躁的忙碌堆疊、移動著石積木，攪動出一股慌亂的能量波潮，流竄出強烈的企圖意念，波動在古堡周遭。

太鼓聲停歇了。

阿光聽不到太鼓聲，就轉頭望向大荒野。這時，大荒野像是被沙塵，又像是被看不透的塵霾，低低沉沉的罩住了。來時路，仍然不見其他生靈，不見半個人影。遠方的桃源村落，更是消失匿跡在遠遠的視線之外，看不見了。

於是，他迴轉身子，像似置身度外，無所事事般，閒看著旅人的忙碌。突然，靈光一現，興奮的說：「這石積木，這積木就是入門的鑰匙。」

「積木是鑰匙？」

「沒錯，積木就是鑰匙。我們得靠自己，走出活路來。」

「對，只能靠自己，走出活路來。」於是，阿光也認真的投注在石積木的堆疊，思維粒子迅速的劇烈波動了起來。

三人專注的合作思考，腦力激盪著；六隻手嘗試又嘗試，迅速的組合、移動、拆解、組構，毫不停歇的操作，折騰腦袋，打磨記憶體。

這會兒，除了石積木快速移動的聲音外，真是一片靜寂。

一片靜寂中，旅人將眾多積木排列組構出一個大大的T字來了。

剎時，又是「喀」一聲，無比清脆悅耳。

T字，剎時落入一個看不見的模型裡，緊接著一疊喀—喀—喀聲，接序響了起來；那T字積木，像骨排效應般，敲開了一連串的機關暗道。然後，門邊的鑲嵌處，又回復原狀了。

不過，高聳的時空堡大門，在千年藤蔓的浩大陣仗、華麗招搖的陪襯下，現身了。

不可思議的，厚重的巨大石門，自動打開了。

「哇啊！」稚盈抬頭仰望，興奮不已的讚歎。

「厲害喲！」

「走，進古堡囉！」

*****

可是，旅人跨入古堡，才走了幾步，就被堵住，前進不了。

可他們看不透，什麼東西堵住他們。

「試煉又來了。」

「怪了！」

「真是鬼撞牆呀！」

以行二話不說，直覺地，彎起臂膀，猛力一撞。

剎時，臂膀一片痠軟無力，像似撞上堅硬無比的萬年冰，除了冰冷僵硬，還是冰冷僵硬。

「難道，這兒虛設了無形牆！」

「幹嘛要虛設無形牆？」

「難道，這牆要擋人？」

「為什麼呢？」

「不讓人過啊！不然，幹嘛要擋？」

「不讓人過，我就偏要過。」

阿光以施展鐵頭功的擊破表演架式，先吸足一口長氣，灌滿腹部，填注身軀的每一個細胞後，勇猛無畏地，猛力撞上無形牆。

虛設的無形牆，絲毫沒動靜，仍矗立旅人眼前，擋住了旅程的前行之路，僅在阿光寬廣的額頭上，留下了一片赭紅印記，撞彎了數根剛硬如刺蝟的張揚短髮，黏貼在額頭上。

旅人們，無奈的退後一步，像默劇演員般的張開手掌，探尋、碰觸、摸索著眼前那片看不見的牆。

「這道無形牆會咬人似的。」稚盈看了看僵紅的雙掌，邊說邊在大腿旁的牛仔褲上，來回猛搓幾下。

「有點冰涼滑溜耶！」

一陣子後，不知是手掌的溫度傳導、還是別有它因，那道冰冷僵硬卻看不見的牆，竟也回應著手掌的碰觸，輕輕晃動了起來。

「咦，會動耶！」

旅人一驚，直覺的縮回手掌，呆愣地，睜圓眼珠子，直視著眼前的詭異，不敢動彈。

「難道，我眼花了嗎？」

「不，顏色變化著。」

「它真的在變哩！」

時間分分秒秒的過去了。旅人就這樣目睹著虛設的無形牆，在輕微晃動中，物質粒子緩緩波動，變化著粒子間的排列組合，而幻化出若有似無的虛擬門簾來了。

漸漸地，虛擬門簾上的圖案，清楚現身來了。

它們是長條線形圖，有垂直並列、平行並列、和米字排列三種圖案。

而且，三種圖案規則性出現，共同排列成一道門簾。

旅人們，你看我、我看你，眼眸中流露出共同的訊息是：「又有驚喜啦！」

長條線形圖的色彩，越來越明朗、鮮豔。

稚盈的眼角餘光，一捕捉到虛擬門簾上的繽紛色彩，馬上溜嘴、讚嘆一聲：「好美！」

可是，以行正視門簾，卻有一種噁心感，而輕聲說著：「會蠕動耶！」

阿光一聽，驚心一瞥，嚇得連忙抽身，退後兩三步，大喊一聲：「我的媽呀，蛇！」然後，全身癱軟跌靠在時空堡的門檻邊。

而阿光的驚叫聲，終究驚擾了剛被手掌溫度喚醒意識的群蛇，全體不安的蠕動了起來。

蛇群昂首吐信、擺腰、搖尾。

它們在虛擬門簾上，開起狂歡舞會來了。

「嚇死人了！」稚盈緊縮身子，挨著門邊顫抖著，一副隨時要奪門而出時空堡的樣子。

阿光手腳並用，爬出古堡大門，狼狽不堪的，背對著虛擬門簾，雙眼低垂，緊盯地面，嘆了一聲：「哎——」

不由自主地，以行心慌了起來。

他鐵青著臉，僵直著背，硬是站立在虛擬門簾前，手指著時空堡內部，說：「我們好不容易才到這地步，才到了這裡，你們知道嗎？」

「這還用你來說啊！」阿光無力的回應著。

「時空梭就在眼前，就在裡面，我們怎能不入寶山空手回。」

「誰這樣說啦！」稚盈無力的辯駁著：「只是，手軟腳軟，我也沒辦法啊！」

以行啞口無言，呆站一會兒才說：「無論如何，一定要坐上時空梭。一定要的。」

「這還用說嘛！不過，你倒說說看，我們要怎麼通過，這麼恐怖的蛇陣呢？」

以行無言以對。

在蛇陣前，戰士各自守著自己的安全距離，無力多說什麼了。

然而，此時此刻，怎麼會出現這道虛擬牆？

難道，它是時空梭的守護者？

要試煉旅人，是否具有足夠勇氣，去面對旅程中的關卡？

還是，它是時空旅人的監督者？

要監督旅人，是否有足夠的勇氣，去撞開自己的心牆，擁抱跳躍性思維的智慧？

*****

時空旅程，在旅人的起心動念中，生發著一切該發生的事。

不知過了多久，稚盈突然沒頭沒尾地說：「冬眠。」

「啊？」

「讓蛇冬眠！」

「好主意！」

「可是如何讓它們冬眠呢？」

「你倒是問倒了我。」

「現在，這道蛇陣門簾，讓我們多多少少，還可窺視到古堡內部，望得到夢想。但是，它們冬眠時，會不會又回到原點，硬得像座虛擬牆，讓我們的前途渺渺茫茫，無蹤無跡，阻礙我們的時空旅行，阻斷了我們的夢想？」

「如果，回到原點，我發誓再也不去觸摸蛇牆了！」阿光心有餘悸的聲明著。

「如果，就像這樣，穿過蛇群的狂歡舞會，要是有那麼一條蛇，不知趣的舞上我的頭，或者狂亂的爬上我的背，喔，我的天啊！光是想想，就嚇死人了。」稚盈臉色慘白的說著。

「如果，有法子能讓蛇群安靜下來，不再狂舞，不再擺腰吐信時，應該也沒那麼恐怖啦！」以行遊說著自己和友伴：「如果，牠們能安靜下來，應該就能像平常那樣，簡簡單單的掀起門簾，悄悄的穿過去就好啦！」

「好是好，但是如何讓它們安靜下來呢？」

「等！等久一點，牠們玩累了，應該就會安靜下來。」

「天快暗了，如果牠們還不安靜下來，那該怎麼辦？」稚盈望了望灰茫的天色，縮胸抱臂，害怕的說著。

「或許，安撫了蛇群，就能穿過恐怖的門房衛兵。」阿光邊說邊想著。

「如何安撫呢？」

以行在蛇陣門簾前，來回踱著方步，用力想著。

「太鼓音樂。」阿光靈光一現，忘我的大喊出來。

剎時，蛇群又被驚鬧、激怒，騷動起來了。

「噓！」稚盈馬上示意噤聲。

「怎麼說呢？」以行小聲謹慎地問著。

「記得嗎？我們一下竹筏，就聽到太鼓咚咚響的節奏樂音，一直不停歇。」

阿光抖擻著精神說。

「沒錯。而且，直到我們在找尋入口時，太鼓聲才消失。」

「是啊！」以行豁然明白了。

「然後，沒多久，我們就喚醒了牠們。」稚盈也來勁了。

「可是，沒有太鼓啊！」

「這附近什麼都沒有！」

「有的只是舞動的蛇群和嚇人的嘶嘶聲。」

雖然，旅人還搞不清楚，整個宇宙意識的纏結和聯動力量，不過，阿光一聽，隨即轉身，快步走出古堡大門。

「嘿，別溜啊！」

「阿光，別逃。」

稚盈和以行，立即出聲阻擋。可阿光沒有多費唇舌，逕自走了出去。沒多久，他就拿著石積木，敲打著規律的節奏樂音，叩叩叩，跨過門檻來了。

他微抖著雙手，站在蛇陣門簾旁，小心翼翼的，叩叩叩，敲打出一種能催眠的節奏來了。

旅人們，噤聲不語，充滿期待的觀看著，漸漸安靜下來的蛇群。然後，他們模模糊糊地，看著粒子緩緩的重新組合著。

叩叩叩，阿光不間斷地，敲打出催眠的穩定節奏來。

這時，旅人清楚的看見，蛇群井然有序的首尾相連，身子挨著身子，列隊排列出三種線形圖案，然後，身上的繽紛色彩，漸漸地，淡化了下來。

阿光緊鄰蛇陣，勇敢地，敲打出綿綿不斷的節奏樂音，叩叩叩。

虛擬門簾，輕輕晃動著。

「走吧！」以行小聲催著。

「等一下。」稚盈匆忙的去拿來另一塊石積木，遞給站在一側的以行，以行就用石積木輕輕撥開、挑起蛇陣門簾，好讓稚盈順利通過，阿光緊接於後。然後，當以行全身而過時，門簾又若有似無的虛擬存在著。

時空旅人，頭也不回的往時空梭奔去。

可奔了幾尺遠後，阿光好奇的迴轉身來，覷了一眼，那門簾已不再是門簾啦！那兒，竟然是一群有頭有臉，像人又像蛇的蛇人，手牽著手，頭上還有觸角糾纏在一塊，嚇得阿光直叫，「噁！」

然後，胸口跳得咚咚響，害怕落單的撒腿狂奔，追趕上以行和稚盈。

10 銅鼎怪的陣式

鏘鏘鏘，笨重的銅鼎大怪物，霎時一個個崩跌、落地，潰散不成軍啦！

戰士們，立即狂奔，穿越銅鼎怪陣的防鎖線。

可銅鼎聲波，在旅人的身後綿綿不絕的迴響，緊追於後……

時空堡很大，看來荒涼無趣，徒留幾處斷垣殘壁，訴說著曾有過的輝煌歷史和痕跡。離堡口不遠處，有九個看起來既笨且重的大銅鼎，靜靜地，分開站立，排列成一條線。

時空堡的中央處，高突著一座綠林坵，非常顯眼。雖然，時空堡裡，沒有任何路標，沒有任何標示，任誰進入時空堡，目光絕無可能錯過它，任誰在荒涼的時空堡裡，肯定會把所有的關注，投向那兒；肯定在不知不覺中，就把綠林坵當作唯一標的，行去。

遙遙望去，旅人看到綠林坵的中央處，聳立著三棵參天古木，低處有濃霧環繞。一幢奇異大樹屋，穩穩地跨坐在三棵古木的枝幹上。

「時空梭呢？」

「應該在綠林坵上吧！」

「可能就在大樹屋裡。」

「真的嗎？看不到耶！」

「看不到，不表示不存在啊！」

「可能被參天古木的綠葉蓋住了吧！」

「想確認，就別停在這兒。」

「說得也是，快走吧！」

旅人們，興奮的向著綠林坵跑去。

*****

可就在旅人跑動起來時，突然，鏘聲巨響，嚇得旅人剎住腳步，定睛看向聲音的來處，驚覺本來排成一列，九座笨重千斤大銅鼎，有了異樣，有了動靜。

「我眼花了嗎？」

「不，你沒眼花，大銅鼎確實動了起來。」

「哪是大銅鼎？你瞧個清楚，再說。」

「天啊，他們有手也有腳。」

「這是什麼怪物啊！」

銅鼎怪有二隻極短的手，退化的幾乎快要不見了，三隻極短的銅鼎腳，跑起來還挺快哩！渾圓的肚子，長了一個又一個，一動也不動的銅眼，看起來倒像是刻意鑲嵌上去，並排環繞一整圈。

「厲害！根本不用轉動眼珠子，就有三百六十度複眼的超強視力啦！」

「鏘！鏘！鏘！」銅鼎聲響，轟然一片。旅人的耳朵，被震得發疼。

「這震耳欲聾的聲音，從何而來？」

「當然來自銅鼎怪啊！」

「小心！牠們來了。」

說來遲，那時快，銅鼎大怪物，邊叫嚷，邊縮手藏腿，成為圓滾滾的大銅鼎，迅速滾動了起來。一眨眼，就擋住了旅人們的去路。

「將！將！將！」

銅鼎怪的說話聲，非常雄渾壯闊，但是要仔細形容它們的音質，真是難上加難。可牠們的話語，比起旅人常用的話語內容，來得更豐厚，更有想像力，又更有原力，讓旅人即使面臨著強敵壓境，還是不禁回憶起銀髮老嫗的招呼聲和接待員衲伯的話語聲。

「嗆！嗆！嗆！」

銅鼎怪張開極短的手指頭和腳趾頭，大聲嚷著。

旅人們，面臨銅鼎怪的聲波突襲下，駐足觀察，七嘴八舌著。

「怪哩！」

「牠們用手指頭出聲啊！」

「腳趾頭吧！」

旅人定睛，瞧了又瞧。一聲聲無比厚實渾圓的聲音，不僅從大嘴巴發聲，竟然還從銅鼎怪的手指頭和腳趾頭，傳送出來。而且，無數多聲道的話語，合鳴出旅人從未聽聞過的雄渾氣勢。

「天啊，還有蹼！」

「注意！」

就在旅人滿心疑惑，不知死活，端看著銅鼎怪的手指頭和腳趾頭間，那一片片有如蹼翼般的薄皮時，「咻——咻——咻——」銅鼎怪就一一快速騰空飛翔，

熱鬧出招，直衝著旅人，擺下陣仗，要一較高下。

「小心！」

「別再看熱鬧了。」

然而，這番戰事，到底又為何而起呢？

戰士們，無從得知。

而且，事出突然，他們只能在鏘鏘鏘、將將將的壯闊聲中，邊抱怨，邊隨機閃躲，因應著。

「我不認識你，幹嘛擋我路啊！」

「嗆！嗆！嗆！」

「我們無怨無仇，沒事、沒事嘛！」

「我又沒得罪你，幹嘛找我麻煩啊！」

「鏘！鏘！鏘！」

銅鼎怪擺下陣式，聲壯撼天。

可旅人們一心一意，直想前去綠林坵，搭上時空梭，無心樹敵，無意開戰。

「將！將！將！」銅鼎怪，步步進逼。

「噢，會痛耶！」旅人無法遁逃。

「鏘！鏘！鏘！」

銅鼎怪擺陣，有動必聲，響徹古堡。

鏘鏘鏘，將將將，嗆嗆嗆，銅鼎怪以著銅鼎特有的聲音，陣陣進逼，壓擠迫害著戰士的心神，嚷著比語言更通用的語言，直灌戰士的耳膜，撼動著旅人的心緒。

這戰事，何端再起呢？

旅人們，非常困惑。

不過，他們兵分三路，分散敵軍注意力，善用身輕、個兒小的優勢，靈活閃躲，企圖穿越銅鼎怪擺下的怪奇陣式。

可是，旅人相較於笨重的銅鼎怪，根本就是螳螂擋車，談何容易；根本就是螞蟻撼象，毫無勝算。

銅鼎怪擺陣，鏘鏘鏘，氣勢如虹，降降降，聲聲叫囂，迴盪在時空堡裡，似乎又和旅人的心靈，升起共鳴，產生聯動效應。

無論如何，旅人們，幾番進進退退，左右游離，迂迴轉進，仍是無路可逃，

無縫可遁。

戰士們，只好轉變戰略。忽而，化零為整，全力抗衡，銅鼎大怪物的強勢壓陣而來；忽而，變換整體樣態，攻其不備。

戰士們，通力合作，以實際行動，對抗銅鼎大怪物，所擺出的連番陣式，堅實的，向著時空梭挺進，打死不退。

然而，在幾度攻堅失敗後，戰士們似乎又發現，原本看來荒涼的時空堡，除了綠林坵外，沒什麼特別引人注目的目標。可是，就在銅鼎怪的擺陣施陣下，竟又危機處處，防不勝防，讓他們憶起了綠草地的真實，讓他們直覺到平行世界的無所不在。同時，相對於笨重的銅鼎大怪物，身輕體弱的旅人們，可真是相形見絀啊！

他們快要兵敗如山倒啦！

*****

銅鼎怪變換陣式，鏘鏘鏘，聲盪氣揚，噹噹噹，直直衝來。

「糟了，這陣式，衝著阿光而來了。」

稚盈雖然明察秋毫，一時間，卻不知如何是好。

「阿光被死死罩住啦！」

「小心！」

以行出聲警告，可強敵逼境，無法馳援。

「危險！」稚盈在此緊急關鍵時刻，被逼得急生一計來了。

「對不起啦，阿光！」她嚷了一聲，將計就計，瞬間出招囉！

她不直接攻擊銅鼎怪，或是出招防堵銅鼎怪，倒是出其不意的猛撞阿光，讓他斜身飛去，免受銅鼎陣式的罩身之苦，倒也亂了銅鼎怪的堅實陣腳。

「鏘鏘鏘！」銅鼎怪又緊急變換陣式，試圖扭轉乾坤。

可戰士們，在轟然聲響的聯動下，愈戰愈勇，愈戰愈有默契。

話說當下，被稚盈猛撞斜身飛出的阿光，僥倖逃過金鐘罩頂後，就出奇不意地，左腳貫地，穩住下盤，然後，氣灌右足，使出絕招，來個返身迴旋，注入綿綿不斷的勁力，攻向銅鼎怪的扎實陣式；然後，又以迅雷不及掩耳的速度，猛然抽腳，撤退數步，及時閃躲、巧避，縮手藏腿，橫躺身軀，快快翻滾，驚險萬分地，避開了直直進攻而來的銅鼎怪。

可就在這時，稚盈的瞎盲後方，正有五個銅鼎大怪物，高高的疊起羅漢，對準稚盈，正要暗使鬼招，重重襲擊，讓她一擊斃命，一命嗚呼啊！

「糟了！」

千鈞一髮中，以行臨陣模擬銅鼎怪，屈身如球，義無反顧的極速滾地救援，直趨險境，然後，算準時機，雙腳使勁一蹬，僥倖踹破銅鼎大怪物尚未使熟的招式，尚未紮穩的疊羅漢，攻其不備，巧奏奇功。

終於，銅鼎怪的陣式，澈底破了。

鏘鏘鏘，笨重的銅鼎大怪物，霎時一個個崩跌、落地，潰散不成軍啦！

戰士們，立即狂奔，穿越銅鼎怪陣的防鎖線。

可銅鼎聲波，在旅人的身後，綿綿不絕的迴響，緊追於後……

聲聲不絕的銅鼎聲，鏘鏘鏘，講講講，迴盪在空曠的時空堡內，直灌旅人耳膜，迴盪成一種內在的聲音，呼喚著旅人；旅人聞此召喚聲，不得不，停下步來，凝神諦聽。

「將將將。」

「鏘鏘鏘。」

「講講講。」

旅人凝神諦聽。

「這銅鼎陣，似乎逼問著我們，講講講……」

戰士迴轉身軀，全身凜然，嚴陣以待著。

「鏘鏘鏘、講講講……」

「講什麼呢？」

「通關密語嗎？」

「可我們已闖過關卡，攻破防線啦！」

戰士凜然思索，小心戒備著。

這時，笨重的九個銅鼎怪又滾動、滑動著起來，「鏘鏘鏘！」然後，九座千斤大銅鼎，又排成一列，不動不聲，停在古堡口不遠之處，站回原處了。

「看來它們不動了。」

「可它們剛剛為什麼動了起來？」

「難道，這群銅鼎怪，不是真的要擋人。」

「不是真的要擋人？那剛剛戰得你死我活，又為了什麼？」

「講講講，講什麼呢？」

「我相信。」稚盈說。

「我相信？」

「妳從哪兒觀察得到，打從哪兒判斷得知？」

「不，我沒有觀察，沒有思考，我相信。」

「妳可別做夢喔！」

「不，我不作夢。」

「不做夢，難道是想像得來的？」

「不，我不想像。可是，我的心，就是知道。」

「知道什麼？」阿光問。

「相信什麼？」以行也追問起來。

「銅鼎怪要我們說：『我相信，時空旅行是真的。』」稚盈平靜地說。

「難道，銅鼎怪在確認我們的信念？」

「嗯。」

「你怎麼知道銅鼎怪的妙音？」

「衲伯早就告訴我們，所有聲音的源頭，都是相通的，不是嗎？」

「說的也是。」

「是啊！就這樣。」

旅人終於懂了。

旅人懂得，這排成一列的九座大銅鼎，無動不聲，靜默的示現著一言九鼎的必要性。

而且，牠們擺出大陣仗，為了逼問旅人，一言九鼎的誓願，為了考驗時空戰士的真實意願，為了淬鍊時空戰士的終極決心。

銅鼎怪啊，無聲有聲，皆是天鼎妙音。

而時空戰士的闖關成功，見證了打死不退的英雄魂，懷抱著真實誓願的英雄膽，才能繼續詭譎多變的冒險旅程啊！

—待續三部曲—

《無歧行》三部曲 02

《無歧行》二部曲　忽巄島

作　　　　者　林秀兒
封 面 \ 繪 圖　林秀兒
版 面 構 成　王君強、林嘉鈺
執 行 編 輯　王君強、林嘉鈺
出　版　者　天鵬文化出版社
新北市板橋區成都街 53 之 3 號
電　　　　話　02-29571984
銀 行 戶 名　天鵬文化出版社林秀兒
銀 行 帳 號　兆豐銀行 板橋分行 206-09-01396-7
郵 局 戶 名　林秀兒
郵 局 帳 號　板橋後埔郵局　0311035 0520092
天鵬文化網址　www.skybirdculture.com
讀者服務信箱　info@skybirdculture.com
定　　　　價　新臺幣 400 元
初 版 一 刷　2018.10.10
I S B N　978-986-97061-1-7
I S B N　978-986-97061-3-1(全套：平裝) 新臺幣 1200 元